« TU SERAS UN RATÉ,
MON FILS… »

Frédéric Ferney

« TU SERAS UN RATÉ, MON FILS… »

Churchill et son père

Albin Michel

Collection « *La face cachée de l'Histoire* »

*dirigée par Hervé Bentégeat
et Alexandre Wickham*

Pour Jean Ferney,
le mien

Faveur et disgrâce sont comme une surprise.
Chéris un grand malheur comme ton propre
corps

Lao-tseu

Le mauvais fils

… cette mélancolie qui m'a suivi comme un chien noir toute ma vie.

Edgar Allan Poe

Longtemps sa vie n'a été qu'une préface – éperdue, illisible. Un brouillon. Une lettre à un père absent, écrite en désespoir de cause. Puis l'effigie du « vieux lion » victorieux a éclipsé la figure instable du jeune homme épris de gloire, opportuniste et fantasque, qui rêvait de se distinguer dans des batailles et de devenir célèbre pour épater son père – ce fantôme.

Par quelle instigation de l'âme et des choses devient-on soi – Winston Churchill plutôt qu'un autre ? Un héritier, un tribun, un soldat. Un enfant mal aimé et rebelle qui s'efforce de grandir à rebours des siens. Un chef qui s'acharne moins à gouverner qu'à vaincre. Un trublion. Un funambule. Un plaisantin.

Nul ne paraît plus assuré de sa place, plus convaincu de son génie, plus dominateur que cet homme peu ordinaire. Il se croit sorcier. Il règne, on obéit. Pourtant, sous le masque du chef de guerre et du protecteur charismatique de la nation en 1940-1945, et jusque dans le vieillard qui s'adonne à l'aquarelle à la fin de sa vie, subsiste l'ombre du fils indigne, rejeton dévoyé d'une ancienne race. Un petit garçon, à jamais orphelin du regard de son père, et qui se maudit de n'être pas celui qu'on attendait. N'ayant pas su être sage, il ne voudra jamais l'être. On ne s'absout pas de n'avoir pas été aimé comme il faut.

Si la Seconde Guerre mondiale n'avait pas éclaté, Winston n'aurait peut-être été devant le jugement de la postérité qu'un raté mondain comme le lui prédisait son père, un aristocrate mélancolique sous l'emprise de la dépression et de l'alcool, un enfant gâté, un vieillard capricieux, un arriviste déçu, un stratège incertain, un politicien en disgrâce, un fumeur de havanes, un cabot.

Hitler détrôna l'ennemi intérieur de Winston. En suscitant une haine exemplaire, il fut un avatar providentiel qui exhaussa son courage et son amoralité souveraine. Hitler lui offrit un rôle, une vocation, un rang dans le tourbillon de l'Histoire; il donna avec l'emphase tragique qui entoure les événements de ce temps un sens inespéré à ce mot suprême et galvaudé : «destin» − à mi-chemin entre ce qu'on craint et ce qu'on veut.

Un monstre a pris la place d'un monstre. Pour Churchill, le mauvais fils, il était temps, il était l'heure, *the readiness is all*...

1.

Black dog
ou la soif de vaincre

Londres, une nuit de mai 1941

> L'événement est sur nous
> Il a le pas et le poil
> D'une bête quaternaire.

Jules Romains

Depuis une année, les Allemands occupent une moitié de la France et une partie de l'Europe, l'Angleterre résiste – c'est sa spécialité. Le monde va apprendre que ce pays est une île humide et sauvage et qu'elle est peuplée de guerriers. Splendides dans le malheur, impassibles dans la défaite, féroces dans la rébellion.

Depuis quand? Depuis les premiers habitants de la Bretagne qui usèrent leurs haches de pierre contre le bison et le rhinocéros laineux. Depuis les Calédoniens hirsutes, experts en guérilla, et les Pictes farouches, collectionneurs de crânes. Depuis la fière Boadicée, reine des Icènes, qui défia les légions romaines au Ier siècle. Depuis Robin des Bois et Ivanhoé, héros plus réels qu'un songe. Et Cromwell, plus fou que Lénine, et Wellington qui, à cheval, ne lâchait qu'à regret son ombrelle, et William Pitt, ce jeune homme qui résista à l'ogre Napoléon. Depuis toujours, en *somme, les Anglais sont plus forts quand ils se battent seuls.*

Vaincre, par la mer et par la brume, par le ciel, coûte que coûte, quitte à y laisser un bras et même la vie comme l'amiral Nelson, ce n'est qu'une affaire de patience, de ruse, d'audace. Le chancelier Hitler n'a-t-il pas lu cela dans les livres ? Est-ce une fiction ? Une fable patriotique et légendaire ? Churchill se sent relié passionnément, depuis son enfance, à ce grand récit national qui allie lions et licornes, complots et prodiges d'archers, sièges et tempêtes providentielles, chevaliers sans peur et reines vierges. England can take it, *c'est la devise d'Albion, impavide devant l'adversité.* Per ardua ad astra, *« à travers les embûches jusqu'aux étoiles », c'est le pacte de chevalerie et de déraison de la Royal Air Force.*

Oui mais. Depuis un an, l'Angleterre subit les attaques meurtrières de l'aviation allemande. Roosevelt, cloué à son fauteuil, ne bouge pas le petit doigt. Combien de temps les Anglais vont-ils encore tenir ?

La ville dort. Le carillon de Big Ben sonne minuit tandis que les rossignols de Hyde Park tiennent concile ; au mois de mai, l'air de Londres ne sent pas que le charbon brûlé mais aussi la rose impatiente et le lilas. Quoi de plus doux qu'un printemps anglais?... Soudain, le hurlement des sirènes d'alarme déchire la nuit. Les bombardiers de la Luftwaffe envahissent le ciel et sèment la terreur parmi les habitants. Un orage de verre et d'acier s'abat sur la ville qui s'embrase de lueurs d'incendie. La City croule. Westminster est un brasier. Les dégâts sont effroyables.

Le lendemain, parmi les gravats et les fumées, Winston se rend au Parlement et contemple les ruines. C'est donc ça, la guerre, quand on ne s'endort plus jamais?... Il croyait la connaître, lui qui a tant aimé jadis les bravades et le vent, les tuniques rouge et or, le sifflement des balles et l'ivresse des charges au sabre. La Chambre des communes a perdu son toit. On dit que trois mille Londoniens sont morts dans leur sommeil, cette nuit.

Dong!... Bien que la Clock Tower soit gravement endommagée, il admire que la vieille horloge s'obstine à fonctionner; la cloche de bronze égrène les heures sans trêve, imperturbablement. *Big Ben can take it*... Tout est présage ce matin tandis que le cri d'une mouette égarée accroît un lourd silence sur la ville. Est-ce une note d'espoir qui tinte ou un glas? Et si les bombes étaient tombées sur le zoo : vous imaginez ça, un lâcher de panthères et d'éléphants à Piccadilly!

Depuis son plus jeune âge, il a toujours voulu être au cœur de l'action et tenir le rôle principal jusqu'à s'en empêcher de dormir. Cette fois, il est comblé. À quoi songe-t-il, le Premier ministre ? À quoi rêvent les enfants morts ? Est-ce qu'ils savent ?... Est-ce qu'ils se souviennent des jours et des jeux enfuis ?... Hier, ici même à la Chambre, Winston répondait à un discours affolé de son ami et vieux rival, Lloyd George, par une déclaration froide et ardente, tout à fait dans sa manière : « Il ne faut pas craindre la tempête, j'en ai la conviction ; laissons-la se déchaîner. Nous la vaincrons. » Vraiment, Winston ? *Are you serious, Mr. Churchill ?...*

On respire, par bouffées, des relents de poussière, d'essence tiède et de bois calciné. À la tête du pays depuis un an, Churchill est, à soixante-cinq ans passés, le capitaine d'un navire en perdition. Il se tient debout, immobile, le gros moineau, avec sa canne et son gibus, comme un rocher au milieu des vagues. Aucune prière ne peut franchir la barrière de ses dents – il y a trop de bruit sur ses lèvres. Il se tait.

Au vrai, il se montre, il s'expose, il a toujours aimé ça. Parader, être vu, descendre dans l'arène. *The world is a stage...* Le XXe siècle, *old boy*, quel cirque ! Aujourd'hui, pourtant, ce n'est pas une posture qu'il arbore ; il semble indifférent, comme une statue. On dirait qu'il s'absente devant la foule silencieuse, seul au monde, muré dans sa tristesse, oublié des siens, comme naguère au temps détesté du collège, quand il implorait son paternel de venir le chercher pour les vacances de Noël.

Peut-être se souvient-il que c'est dans ces années-là, en pension à Ascot, à Brighton, puis à Harrow, qu'il s'est bronzé le cœur en se réfugiant dans une paresse sauvage fardée en rêverie ; c'est là, dans l'abandon et la froideur muette des siens, quand ses lettres au père demeuraient sans réponse, qu'il a forgé le caractère qui sera son éperon, son bouclier, son emblème. La solitude a été son alambic. Avant de devenir un séducteur flamboyant, Winston a d'abord été un jeune soupirant éconduit. Churchill n'est pas un cynique, c'est un sentimental déçu. Cet incurable rêveur, qui a acquis durement le sens des réalités, a parfois de mauvaises pensées.

Partagés entre la colère et le désarroi comme des mineurs en grève, les yeux rougis et le visage noir de suie, les Londoniens, eux aussi, se taisent. Tous ont en mémoire son discours à la nation, le 4 juin dernier : « *We shall go on to the end. We shall fight in France, we shall fight on the seas and oceans, we shall fight with growing confidence and growing strength in the air, we shall defend our island, whatever the cost may be. We shall fight on the beaches, we shall fight on the landing grounds, we shall fight in the fields and in the streets, we shall fight in the hills. We shall never surrender[1].»* Yes we shall!... Sous ce «nous» grammatical, il y a un «je» têtu qui coalise la noblesse désespérée d'un refus et les élans pas si unanimes d'une nation. Les Anglais ne sont-ils pas le seul peuple de la terre auquel il n'est pas permis de mentir quand les circonstances sont graves?

Le pays tout entier guette la réaction du Premier ministre. On attend de sa part non pas une ultime élégie mais un sursaut, un élan, une secousse. Une main dans la poche, il déclare en serrant les mâchoires dans son phrasé inimitable: «*The Chamber must be rebuilt – just as it was.*» Il faut reconstruire la Chambre, exactement comme elle était avant. Churchill est un conservateur; il allie le goût du passé et l'amour des

---

1. «Nous irons jusqu'au bout. Nous combattrons en France, nous combattrons sur les mers et sur les océans, nous combattrons dans le ciel avec une confiance qui grandira et avec une force qui grandira, nous défendrons notre île, quel qu'en soit le coût. Nous combattrons sur les plages, nous combattrons sur les terrains d'atterrissage, nous combattrons dans les champs et dans les rues, nous combattrons dans les montagnes. Jamais nous ne capitulerons.»

réformes. On trouve chez lui le désespoir mais pas la philosophie du désespoir, la nostalgie mais pas le néant. Le peuple oui, la cause du peuple, non. La révolte ? *Not quite.* La Révolution ? *Certainly not.*

Nul ne voit ce bleu de hache qu'il y a dans ses yeux parfois, quand son esprit s'éveille, content ou fâché, on ne sait. Il étouffait, il respire enfin. Il était enfermé dans le présent comme un héros, comme un ivrogne ; il est libre. Deux grosses larmes coulent sur ses joues. Au vrai, *bloody hell !*, il se sent rajeunir. Il ne va pas s'absoudre de cette grâce abjecte qui le sépare de ses concitoyens et qui l'égare et qui l'enchante. Ce sera un jour de deuil pour l'Angleterre, mais lui, il revit, il exulte, il se sent plus fort, accru, plus large de front et d'épaules – la grosse pierre qu'il avait sur le cœur a disparu, ça fait un grand vide, là.

Car Churchill puise dans le malheur, quand il le fait sien, une vérité à nulle autre pareille, et dans la guerre, une énergie qu'il n'a jamais trouvée ailleurs. Ombrageux et abrupt, toujours pragmatique – il est anglais –, Churchill est aussi un passionné, un romantique – il se souvient d'avoir lu lord Byron et Stevenson dans sa jeunesse. Comment le chancelier Hitler n'a-t-il pas compris d'emblée que chaque coup mortel infligé aux Anglais ne faisait que renforcer leur détermination ? Après la débâcle de Dunkerque, Hitler aurait confié à Hermann Göring : «La guerre est finie. J'arriverai à m'entendre avec l'Angleterre.» *Wrong !* Churchill en a la conviction, Hitler n'a fait qu'allumer, dans le cœur des hommes de ce pays, un feu sacré qui ne s'éteindra pas et qui continuera de brûler jusqu'à la victoire finale.

C'est de l'intérieur de soi que vient la défaite, il le sait, il l'a su très tôt. Peut-il vaincre, lui qui n'aime rien tant que vaincre, cette étreinte glacée qui l'oppresse depuis son plus jeune âge ? Saura-t-il enfin tenir en laisse le *Black dog*, l'animal favori des ducs de Marlborough, la bête noire, la maladie ancestrale qui le poursuit de ses crocs la nuit et le tourmente jusqu'à l'aube ? L'inaction, l'ennui, c'est sa hantise. Et si Hitler, c'était le remède qu'il n'attendait pas et que l'Histoire lui tend ? Et si cette maudite guerre qu'il a sur les bras, c'était quelque chose qui lui arrive à lui, rien qu'à lui ? Non, ce n'est pas un accident, il en est convaincu, il y a un dessein dans tout cela.

Car, oui, oh oui !, Winston aime la guerre, il l'aime passionnément, il l'aime à la folie, comme un enfant. Le bénéfice secret, la volupté qu'il retire de son goût pour l'action le rend heureux, à la fois subjugué et libre. C'est une force invincible et gaie qui le délivre de son tourment et chasse la tristesse. Il se battra jusqu'au bout ; il n'a pas l'intention de mourir, quelle drôle d'idée ! – et s'il meurt, tant pis ! Ni de transiger, en aucune façon, ni de signer une paix séparée, ni... L'Angleterre n'est pas la Pologne ! Cette guerre est mondiale ; ce sera, Dieu soit loué, un combat à outrance, une lutte à mort entre les forces de l'Axe et les Alliés. Et c'est tant mieux. Non, le Premier ministre n'a pas sommeil, il n'a jamais sommeil, il aurait plutôt soif. Aux armes, citoyens ! *Once more unto the breach, dear friends, once more !...* Pour l'honneur – parce que ça simplifie la vie et parce que c'est bon pour l'Angleterre, sa seule idée plus forte que la mort !

2.

Un amour de Winston

Quelque part dans le Middlewest,
20 janvier 1901

J'apprends par de nombreuses sources que je suis mort ce matin. C'est une nouvelle très exagérée.

Mark Twain

Un train de la Great Northern Railway roule dans la nuit quelque part entre St. Paul, Minnesota, et Winnipeg, au Canada, parmi des champs de neige. Au fond d'un compartiment qui exhale des vapeurs tièdes de paille et de bière coupées de tabac, un jeune homme assez maigrichon aux lèvres étonnamment glabres et au regard pensif ignore les aises et le débraillement qu'autorise un voyage dans les longues plaines. Assis un peu à l'écart, ce passager solitaire semble indifférent aux songes de commerçants, dédaigneux des soupirs de ronfleurs qui s'affalent sur la moleskine et bavent dans leur moustache.

À en juger par ses joues roses et par ses bottines vernies, c'est un Anglais. Ce qu'un observateur attentif ne manquerait pas de remarquer en épiant ce jeune homme, c'est peut-être autre chose. S'il n'est pas d'ici, à l'évidence, il lui paraît très naturel d'être là, dans ce train, à la place qui est la sienne, puisqu'il l'occupe, et cela avec une désinvolture de caste, un soupçon d'arrogance qui n'est pas que juvénile ; il ne manifeste aucune timidité, aucune gêne, comme s'il lui convenait d'aller au bal environné de fermiers et de marchands de grain. « Pardon, monsieur, me permettez-vous de vous poser une question ? Êtes-vous anglais ? – Oui, enfin, à moitié. – À moitié !... C'est déjà beaucoup, je vous félicite ! »

Assis sur sa banquette, Winston écrit. Penché devant un amas de feuillets chiffonnés, armé d'un porte-plume, il picore dans un gros encrier de cuivre qu'il serre sur son cœur. Rien ne le distrait de sa besogne. Son visage est clos, sa respiration est calme. Il semble boire la fumée de son cigare cubain, respirant le silence que le froissement du papier rend palpable, ponctué alentour d'un soupir, et là d'un râle de dormeur.

Winston a une bonne excuse pour ne pas dormir. Il écrit une lettre à celle qui sera bientôt, espère-t-il, sa femme. Cela fait plusieurs années déjà qu'il s'est déclaré et qu'elle a poliment repoussé ses avances, mais il ne s'avoue pas vaincu ; la belle le poursuit dans ses rêves, il ne parvient pas à oublier le parfum de ses cheveux noirs et l'éclat de ses yeux gris. Elle lui a

appris à rester silencieux. Elle murmure : «Oh!
Winston!...», puis elle se tait – un silence si
parfait qu'on n'ose le rompre. Devant elle, il
se sent un peu idiot. Il voudrait la rejoindre, se
hausser jusqu'à elle, mais il reste muet, ce qui
ne lui est jamais arrivé, sauf peut-être devant
son père jadis. L'aime-t-il? Il le croit – aimer,
c'est croire. Sans preuves. Contre les preuves?
Il l'admire sans raison, elle en rit. Il songe, il
espère, il ne ferme pas l'œil. Il cherche dans
ce pays de neige les mots qui sauront enfin la
surprendre et l'émouvoir, un exercice qu'il pratique avec succès auprès de ses nombreux admi-
rateurs depuis plus d'un mois.

Sa tournée de conférences en Amérique du
Nord, sans être aussi houleuse que celle d'Oscar
Wilde vingt ans plus tôt, ni aussi triomphale que
celle de Mark Twain, provoque de petites vagues
dans les feuilles de province – un accueil flatteur
pour sa renommée précoce. Sa diction singulière,
son humour, ses grimaces font mouche dans le
public. Winston apprend que la séduction a sa
grammaire. Peut-être pressent-il que la foule un
jour sera sa muse mais, pour l'heure, avec un
penchant inné pour le cabotinage, le jeune ambitieux découvre, après l'euphorie des batailles, la
stratégie du causeur mondain et la griserie qu'elle
procure.

Car à vingt-six ans, Winston a déjà publié sous son nom *London to Ladysmith via Pretoria,* le récit de son évasion rocambolesque d'une prison du Transvaal pendant la guerre des Boers, et *The River War*, la chronique en deux volumes de la campagne du général Kitchener au Soudan où le lieutenant Churchill s'est illustré dans une charge de cavalerie qui restera dans les annales. Avant cela, il a publié un récit sur la guerre d'Afghanistan qui lui a valu la faveur du public, la bouderie de ses chefs et les compliments du prince de Galles en personne. Et même un roman d'aventures, *Savrola*, où l'on reconnaît aisément sous le masque un peu mince du héros, inspiré de Stevenson et de Walter Scott, le visage de l'auteur – en plus beau – et le clairon fantôme de garnisons lointaines.

Qui, parmi ses auditeurs, sait qu'un premier roman a la valeur intime d'un aveu? Peu sont ceux qui l'ont lu ou qui le liront. S'ils étaient plus curieux, ils en souriraient peut-être. D'où vient ce spleen qui affecte le héros et le plonge dans le doute? Écoutez-le : «Cela valait-il la peine? La lutte, le travail, le rythme effréné des affaires, le sacrifice de tant de ces choses qui rendent la vie plus douce – à quoi bon?» En plusieurs endroits, dans cette naïve confession d'un enfant du siècle, affleurent l'anxiété, le sentiment de la vanité des choses, une lassitude qui confine au dégoût. La tête est déjà vide qui deviendra crâne… Est-ce seulement une pose romantique ?

Quoi qu'il en soit, à Winnipeg, au cœur de l'hiver canadien, les distractions sont rares. Le théâtre de la ville affiche complet. Demain, le principal personnage, ce sera lui – ce n'est pas un emploi, c'est sa vocation.

Winston se sait meilleur à l'oral. Son sujet, d'ailleurs, ce n'est pas l'Amour, c'est la Guerre. De la gloire, des larmes et du sang – déjà ! On est curieux de rencontrer ce phénomène, cette tête brûlée d'Anglais qui manie aussi bien la plume que le pistolet et qui, contrairement à Buffalo Bill, serait, paraît-il, le fils d'un duc. Oui ma chère, mais sa mère est américaine ! On dit même, *oh my God*, qu'il a du sang d'Iroquois ! Les dames du cru ont le feu aux joues devant ce jeune homme aux tempes pâles et qui, avec un visage poupin, sous son insolence étudiée, semble parfois si songeur, si mélancolique ; elles sortent leur mouchoir, s'éventent, poussent de petits cris – c'est divin. En Égypte, il a tué des derviches, nagé dans les eaux du Nil et décoiffé le sphinx comme Bonaparte !

Cette fois, pourtant, Winston peine à polir ses phrases, il abuse des adverbes, cède à la platitude qu'il déteste. Sa plume gratte nerveusement la

33

joue du papier. Comment dire : «Je vous aime»,
quand on aime? On voudrait nommer sincérité
le premier mouvement d'un homme qui ouvre
son cœur. Mais non, la sincérité exige de la
confiance et de la réflexion. Et si l'on ne veut rien
dire que d'exact ou si l'on craint d'être mal compris, il faut taire assurément tout ce qu'on pense.
L'amour, c'est un peu comme la politique, non?

Pamela – elle s'appelle Pamela – ne peut plus
douter de ses sentiments. C'est la fille d'un admi-
nistrateur colonial, sir Trevor Chichele-Plowden.
Ils se sont rencontrés aux Indes quatre ans plus
tôt, à Trimulgharry. Bals, dîners, flâneries, pro-
menades à dos d'éléphant. Ils ont visité des
temples et caressé en rougissant des idoles obs-
cènes sous la lune; il l'a comparée à une étoile.
Elle a regardé le ciel, elle n'a pas dit oui, elle
n'a pas dit non. Winston l'amuse. Puis ils se
sont retrouvés à Londres. Il a vite compris qu'il
n'était pas son seul prétendant. Il lui a fait une
cour d'autant plus assidue; il a bon espoir; il se
croit aussi stratège en amour.

Puis il lui a envoyé son roman en lui promettant
qu'elle y trouverait «un pur reflet de son âme».
L'a-t-elle lu? Et si elle l'a lu, l'a-t-elle aimé? Il
lui a écrit : «Nous sommes liés tous deux par un
sentiment si fort qu'il ne pourrait grandir et qu'il
durera toujours.» Et puis : «Si vous m'épousez,

34

je déposerai le monde à vos pieds », etc. Elle a souri, cette sotte. Il n'y comprend rien. Elle aurait dû être grave, se blottir dans ses bras, fondre en larmes, non ? En amour, Winston est un bécassin. Ils doivent se revoir prochainement à la résidence du gouverneur général, à Ottawa. Winston ne doute pas de son succès.

Ce sera leur dernière entrevue. De nouveau, Pamela Plowden a souri de sa proposition en se mordillant les lèvres, puis elle l'a regardé comme un enfant. Elle lui a brisé le cœur, ce qui est très désagréable. Il en a donc un ! Mais pourquoi ? A-t-il compris pourquoi ?... Pour Winston, l'argent n'est pas et ne sera jamais qu'une contingence, un souci mineur, mais pour elle ?... Il a beau être un jeune homme fringant, riche d'avenir et d'excellente famille – il vient d'être élu député conservateur à la Chambre –, sa fortune est mince. Un père, lord Randolph, mort couvert de dettes. Une mère, pauvre chérie, si follement dépensière et si frivole. Auréolé par ses exploits militaires, n'est-il pas *the honorable and gallant Mr. Churchill* ? Oui, mais c'est son seul titre.

Winston vit principalement des subsides de son cousin Marlborough – il est vraiment chic, Sunny – et de ses droits d'auteur qui, sans être négligeables, sont loin de répondre aux espérances de Pamela. Environ deux mille livres par an, c'est un peu court. Le jeune lieutenant est incapable de lui procurer la vie brillante qu'elle attend. Comment obtenir sa main sans lui offrir aussi un grand *pied*? Pamela est sentimentale et prosaïque. Anglaise en somme. Cruelle vérité. Plus tard, elle épousera un lord. S'il avait su, en Inde, il lui aurait proposé une chasse au tigre!

À son arrivée à Winnipeg, ce 21 janvier, il apprend que la reine Victoria est au plus mal. On annonce sa mort le lendemain. Tristesse et consternation. Dans tout l'empire, rares sont ceux parmi ses sujets qui ont connu une époque où elle ne régnait pas. On est entré dans l'autre siècle. On pleure moins la mort d'une vieille dame qui s'est éteinte paisiblement, entourée de l'affection des siens, que la fin d'un monde. Winston écrit à sa chère Pamela : «Vous n'imaginez pas combien la mort de la reine complique et obscurcit tous mes plans, avec des effets non seulement sur la politique des nations mais aussi sur moi, Winston»!

Sans blague? Il se sait élu et prédestiné, il se croit invulnérable, même quand il doute de lui-même ou des autres – plus des autres que de lui-même : il veut être ce qu'il est, il est ce qu'il veut être. C'est pourquoi Winston est de la race de ceux qu'on préfère haïr ou adorer – lui-même ne s'étonne pas de ses ressorts et, fidèle à soi, s'en amuse sans s'admirer, s'admire sans s'aimer.

En attendant, il déjeune chaque matin au champagne et mène grand train ; antipathique et charmeur, il commence à devenir encombrant pour ses hôtes ; il exaspère son imprésario américain par ses caprices, ses prétentions financières et ses esclandres répétés avec les domestiques. Bah ! Winston est un peu las des grands espaces et de la vie errante. Dans quelques jours aura lieu la séance solennelle d'ouverture du Parlement en présence du nouveau roi. Il n'est pas mécontent de retrouver ses amis, ses chevaux, sa mère, St. James' Park, la pluie, le brouillard – Londres, quoi ! Ce qu'il regrettera le plus, ici, c'est la viande rouge.

« Et c'est ainsi qu'il la quitta pour aller jouer une grande partie devant les yeux du monde entier, et lutter pour ses ambitions qui sont, à elles seules, ce que l'homme convoite le plus ; elle, elle n'était qu'une femme, seule et malheureuse, et elle ne pouvait qu'attendre », lit-on dans *Savrola*. Peut-être après tout Pamela l'avait-elle lu, ce livre…

3.

Un petit dogue au poil roux

Londres-Ascot, novembre 1882

Nous sommes tous des vers de terre mais moi, je suis un ver luisant.

W. C.

Churchill – on peine à le croire – fut un enfant malingre, souvent malade, bronchitique. Sait-il déjà ce qui l'étouffe ? Longtemps, Winston sera prémuni contre la pitié. Sans une dame au cœur limpide qu'il surnomme « Woom » – sa nanny, Mrs. Everest –, il eût ignoré jusqu'à l'idée même de la douceur ; il s'épanouit dans la rudesse. Et il ne tient pas en place. Il ne cesse de se blesser, de maltraiter son corps, comme pour s'éprouver. Ou se punir. À sept ans, il tombe d'un pont au risque de se briser les os ; une autre fois, il manque se noyer. Plus tard, il s'impose une discipline ; dès l'adolescence, le sport devient son école de volonté.

Le football, si prisé à Harrow, l'ennuie, le vélo aussi – il vendra le sien pour s'offrir un bouledogue ; il préfère l'équitation, la boxe, la natation, l'escrime. Plus tard, ce sera le polo et la chasse. En Inde, il s'amusera à embrocher en hurlant des cochons sauvages, mais un petit oiseau mort de froid lui tire des larmes… On ne réprime pas tous ses vertiges ; on ne connaît pas son corps, c'est lui qui vous connaît ; quand on biaise, il se venge. Winston l'a su très tôt. Ils ont fait la paix. C'est lui le maître, c'est lui qui commande. Ce corps n'a pas sommeil, il a soif. Et l'âme, paraît-il, c'est ce qui résiste au corps quand le corps a soif. C'est pour ça qu'on va à l'école, non ?

Winston qui aura bientôt huit ans est envoyé en pension à St. George's School, près d'Ascot. Il rejoint cet établissement réputé plusieurs semaines après la rentrée des classes ; il va devoir rattraper son retard et combler ses lacunes. C'est la première fois qu'il quitte sa mère et qu'il est séparé de Woom. Il n'a aucune idée de ce qui l'attend. Arrive le jour fatidique.

Winston n'est pas triste, il n'a pas encore appris à l'être. Il est seulement un peu fâché de devoir quitter ses jouets – ses soldats de plomb, sa petite machine à vapeur et sa lanterne magique. Il est hors de question de les emporter avec lui car il est devenu un grand garçon, ce qui ne présage rien de bon. Il ne sait pas trop ce qui l'inquiète : que St. George's, mon chéri, soit l'antichambre d'Eton – qu'est-ce qu'une « anti-chambre »… est-ce le contraire d'une chambre ? – et que sa mère ait semblé si contente de lui annoncer cette nouvelle, ou bien que Mrs. Everest, sa chère Woom, s'efforce de cacher sa peine tout en s'affairant à préparer son linge. Pourquoi une décision si tardive ? Et si soudaine. Il n'y a pas à discuter, Papa dit qu'on a déjà perdu assez de temps et que c'est comme ça. Il a fait son gros œil de Zeus – Zeus est le roi de l'Olympe, il n'est pas du tout anglais ; d'après Mrs. Everest, il n'existe pas mais il fait peur quand même.

Jennie l'a accompagné dans le cab noir de lord Randolph de Connaught Place jusqu'à la gare de Paddington, puis ils se sont séparés sur le quai. « Au revoir, mon chéri ! Tu vas être un bon garçon, n'est-ce pas ? – Oui, je vous le promets. Au revoir, Maman. » Oui, bien sûr que le bonheur existe, la preuve : soudain il n'est plus là. Jennie n'a pas pleuré. Winston non plus. D'abord par timidité, puis une sorte de chagrin l'a saisi mais les larmes ne sont pas venues. Woom pleure parfois. Maman, jamais. Papa non plus.

Que sa mère est belle ce jour-là ! Sa robe, son parfum, sa peau. L'enfant adore épier ses courbes tendres sous la raideur du crêpe et de l'organdi sans en soupçonner la promesse : bras nu, gorge, cheville. Il ne connaît que cet endroit de la nuque, sous son chignon, où la peau est encore plus douce. Jennie n'est pas dure, ni distante ni maladroite, comme l'est son père, tout empêtré de froideurs et de réticences soudaines quand il paraît devant lui. Elle est seulement pressée, elle a toujours un rendez-vous qui l'attend et mille choses en tête. Comment ne pas l'adorer ? Jennie est hardie, légère, ravissante – un monstre, quoi ! « Au revoir, mon ange ! »

Pendant le voyage, l'enfant a la gorge serrée, il ne connaît pas de mot pour dire ça qui est nouveau : l'abandon. C'est la première fois qu'il est séparé de Woom. Tout à coup, il croit avoir perdu les trois demi-couronnes que sa mère a déposées dans sa poche sur le quai, il ne va pas pleurer, il est seulement pris de panique. Il décide que ce n'est pas si grave, et il s'étonne que cette frayeur le picote, l'amuse presque ; il s'exerce pour la première fois au courage, cette saveur de commencement qu'on ne trouve qu'en soi. C'est excitant comme un nouveau jeu. D'ailleurs, à son arrivée, il a retrouvé son argent. Ouf !

Il pleut, c'est l'automne, et c'est le jour où son enfance le quitte. Il n'en savait rien et puis, soudain, quelque chose se passe, tout ce qui pesait sur sa vie devient léger. Il se dit : « Je suis tout seul », c'est une sensation nouvelle. Il regarde autour de lui et, pour la première fois, il pense :

« Mon nom est Winston Spencer Churchill. »
C'est moi, c'est tout, et c'est rien. Il y a... rien,
moi, c'est tout.

Soudain, le monde. Lui, dedans mais séparé.
Rien au-delà. De ce voyage il retire ce jour-là
une certitude qui ne le quittera jamais : même
dans une situation tragique, comme aujourd'hui,
vivre appelle la légèreté, l'insouciance, un
consentement obscur qui n'exclut pas le combat, la révolte, la joie. L'angoisse ne le connaît
pas – pas encore. Pas de Chien noir à l'horizon.
Au contraire, quelque chose comme de l'espérance montre son frais museau. Dehors, il y a,
oui, le monde, et il s'appelle l'Angleterre – des
arbres, des maisons, des vies minuscules comme
la sienne, et puis le ciel, les nuages, la pluie qui
fouette la vitre. Rien d'autre.

Il fait sombre quand il arrive, tout tremblant,
en fin d'après-midi, devant une bâtisse lugubre.
Il se retrouve assis seul sur un banc dans un long
corridor qui sent le cirage, le miel rance, le moisi.
Où sont passés tous les autres ? Au bout d'un
long moment, on le conduit dans une salle de
classe déserte, on l'invite à s'asseoir à un pupitre
au premier rang, puis on lui remet un livre à la
couverture un peu usée, décousue sur le dos,
comme le vieux livre de cantiques de Woom.
« Ceci est une grammaire latine. Veuillez, je

vous prie, apprendre par cœur la déclinaison du mot *mensa*. Vous avez sept minutes, Winston! – Yes, sir. »

Sept minutes plus tard, il récite docilement sa leçon devant le maître qui semble satisfait, puis il ose demander : « Qu'est-ce que cela veut dire, sir ? – *Mensa* veut dire *table*. – Oui mais que veut dire : *Ô table* ? – Apprenez que c'est un vocatif, c'est-à-dire la forme utilisée quand on s'adresse à une table. – Ah bon ? Moi, ça ne m'arrive jamais de parler à une table ! – Hum ! Je vous préviens, mon jeune ami, que si vous vous montrez insolent, vous serez puni et, permettez-moi de vous le dire... très sévèrement puni. » Mauvais début.

Ce n'est rien à côté de ce qui lui reste à découvrir : les brimades, les corvées imposées aux plus petits, les verges. Les flagellations rituelles dont le révérend H. W. Sneyd-Kynnersley s'est fait une spécialité sanctionnent chaque incartade et chaque manquement selon un code immuable. Le régime est sévère : huit heures de cours par jour suivies de séances obligatoires d'éducation physique, notamment de football et de cricket. C'est le bagne – il déteste le football et le cricket.

Winston, qui a sincèrement promis à sa mère d'être un « bon garçon », ne tarde pas à s'apercevoir qu'il a présumé de ses forces et que, malgré ses bonnes résolutions, il s'est engagé dans une mission impossible. Il se montre réfractaire à la rude pédagogie de St. George's et prend en grippe tous ceux qui sont chargés de l'appliquer. Chaque jour lui apporte un supplément d'épines, un nouvel échec, une disgrâce. Il tombe malade.

À son père, pourtant, il écrit : « Comment allez-vous ? Moi, je suis très content ici. » Pas question de se lamenter et de s'attirer les foudres de lord Randolph, mais son père lui renvoie ses lettres, soulignées à l'encre rouge, en exigeant qu'il en corrige les fautes d'orthographe. *Never explain, never complain*, comme dit la duchesse Fanny, sa grand-mère. D'ailleurs, *Pa'pah* se moquerait de lui, ce serait encore plus humiliant que le dédain glacé de ses maîtres et les railleries de ses camarades. C'est étrange comme le regard de son père pèse sur sa vie. Est-ce que cela va durer toujours ?

Winston sans désemparer fait la gueule, il boude. Qu'est-ce qui couve dans cette caboche ? Déjà un peu poseur mais sincère, le regard dur et droit, rêve-t-il de Woom et de ses tendresses ? Pour la première fois, le temps, qui est devenu la forme universelle de l'ennui, lui enfonce son poing dans la gorge. Puisque c'est comme ça, il sera un « méchant garçon ». Surtout ne vous approchez pas ! C'est un oursin. Au vrai, il se met à haïr l'école, la bêtise – non pas par principe mais par instinct.

Winston est un enfant de la rage et du chagrin, mais chut ! il refuse de s'apitoyer sur lui-même. Il se croit le plus jeune prisonnier de l'Angleterre ; il en est fier comme d'être laid, faute d'en être heureux ; il se morfond, et puisque sa peine va durer mille ans, il s'enferme dans un silence buté ; il compte les heures et les jours qui le séparent de ses rares sorties. L'encre est noire, les tableaux sont noirs, tout est noir, fermé à clé, même le ciel. Son seul plaisir dans sa prison, c'est l'attente – le miracle d'une lettre ou d'un paquet qui finalement ne vient pas.

Winston affiche un air mendiant, rageur, souverain. Il se rebelle contre les abus d'autorité, s'enfonce dans sa solitude, s'obstine dans ses refus. Il est puni sans cesse pour son manque d'assiduité, ses retards, ses négligences répétées. Lui, il se bat, il se débat comme un beau diable contre l'humaine méchanceté, contre la bassesse des petits ou des grands qui se coalisent contre lui. Pas un qui ne soit hostile et ignoble ! Il s'endurcit, il ne se brise pas, il se bronze.

Il refuse d'étudier. Ce qu'il va apprendre à l'école – n'est-ce pas une *école* ? –, ce n'est pas ce qu'ils croient. S'il refuse d'étudier, il s'entraîne à désobéir ; il s'exerce à se distinguer ; il s'entête

48

à déplaire ; il savoure l'ivresse de rompre. Et il se forge en secret une devise : «Cavalier seul». Ce sera lui tout seul contre le reste du monde. Sa ténacité, ce sera le malheur de ses ennemis. Dans ce domaine, il acquiert de bons réflexes, il cuve sa rage, il apprend même à sourire.

«Moi, je suis sage mais Winston m'apprend à être méchant», dira des années plus tard son petit frère Jack, si friable et si prompt à plier. Dans une lettre à son mari, datée de décembre 1882, Jennie se lamente : «En ce qui concerne les progrès de notre fils, je suis navrée de constater qu'il n'y en a aucun. Peut-être n'y a-t-il pas eu assez de temps. Il lit très bien mais c'est tout, et dans les premiers jours qu'il a passés avec nous à Noël, il s'est montré impudent et grossier. Je suis très déçue.» *Bad boy !*

Never give in, never, never, never… Ne pas ployer, ne pas céder, ne pas déroger devient sa raison d'être. Avec un air de perpétuel offensé, rétif au travail et à la discipline malgré la sévérité redoublée du révérend Sneyd-Kynnersley, Winston continue de se distinguer par un comportement agressif et des résultats désastreux. Un jour, une fois de trop, il est fouetté jusqu'au sang. La coupe est pleine. Les yeux secs, il fugue. Il s'évade de son pénitencier, rentre à la maison, se réfugie auprès de Mrs. Everest.

Il a toujours pensé que Woom savait quelque chose de la vérité qu'elle ne pouvait dire. Mais quoi?... Woom, douce comme le lait, tiède comme la salive, salée comme les larmes. C'est elle qui, la première, a mis un nom sur cette chose qui l'opprime et le glace : «C'est ton Chien noir, mon chéri. N'aie pas peur, je suis là»... Il n'y a jamais eu qu'elle qui ait su lui caresser la tête et lui moucher le nez. Il n'a eu qu'elle dans toute son enfance pour le relever quand il tombait et le consoler quand il se blessait le genou. Il n'y a qu'elle qui sache vraiment la forme de son crâne et de ses mains, petites comme celles d'une fille. Et puis surtout, Winston exige qu'on se taise, et qu'on l'écoute, là! Il n'y a qu'elle qui ait compris cela. *Dear, dear Woom!* Comme elle l'aime, son poil de carotte, son *naughty little boy*, son petit sacripant!

En le mettant au lit, Mrs. Everest découvre, horrifiée, le dos meurtri, marbré de mauve, de son cher ange. Jennie est aussitôt alertée. Winston est retiré de St. George's dès le lendemain. Enfin! Ici est le nom des miracles. Le paradis, c'est d'être là, près de Maman, dans les jupes de Woom, ce qui ne peut pas durer. Winston est envoyé en pension dans un petit établissement dirigé par deux vieilles filles, les sœurs Thomson, au bord de la mer, à Hove, près de Brighton.

Il découvre les joies du plein air, la chasse aux papillons et les chevaux. Il se fait des amis – deux poissons rouges.

À la rentrée de septembre 1893, Winston est admis non sans peine – il échoue deux fois à l'examen d'entrée – au collège de Harrow. «Les sujets préférés des examinateurs sont presque invariablement ceux que j'aime le moins. J'aurais aimé qu'ils m'interrogent sur ce que je sais. Là où j'aurais volontiers exposé mes connaissances, ils ont pris un malin plaisir à exposer mon ignorance.» Winston endosse l'uniforme : le canotier et le blazer frappé aux armes de l'école – «lion effréné» et «flèches croisées». Queue-de-pie noire et gilet gris de rigueur le dimanche. Mais il enfreint les usages ; il sort du rang, il fait le mur, il n'en fait qu'à sa tête. Sa réputation d'élève médiocre, indiscipliné et batailleur fait le tour du collège.

Au-delà de ses incartades, il se passionne pourtant pour l'Histoire dont le goût ne le quittera plus – ce sera le carquois où il puise ses flèches. Il apprend par cœur des tirades de William Shakespeare, un auteur un peu grandiloquent mais royal ; il se récite des pages entières de l'*Histoire d'Angleterre* de Thomas Macaulay mais il peine en latin, en grec et en mathématiques – l'ablatif absolu se range désormais parmi les douleurs du monde. Rien que des langues mortes. En français, il tord la bouche, son accent est atroce, barbare, incompréhensible – il le sera toujours. Il excelle en boxe, en escrime – plutôt le sabre que le fleuret – et en natation.

Ce qu'il sait faire l'amuse, follement – il adore entreprendre, apprendre, quand ça lui plaît, et plus encore être compris, mais tout le reste l'ennuie. Et sa bête noire, c'est l'ennui. Il veut bien faire mais, au fond, il n'a rien à prouver qu'à lui-même, ce qui agace les professeurs. Il aime séduire, subjuguer, combattre. Irrégulier, sans-gêne, avec un penchant aristocratique à déplaire, il se décèle quand il rigole du coin des lèvres devant la réprobation sourcilleuse de ses maîtres. Ce qu'il ne sait pas faire, il s'en fiche, il s'en désintéresse – mais y a-t-il quelque chose qu'il ne sache pas faire, s'il décide de le *vouloir*? Quand il se pique d'étudier un domaine nouveau, quel qu'il soit, sa curiosité est vorace, sans limites. Il hume, aspire, dévore tout ce qui le nourrit, et recrache des perles. Il est devin en ce qui l'intéresse. Vouloir, c'est la pente qu'il aime et qu'il s'enchante de gravir, sans masquer son effort, sa persévérance, comme un buffle. Mais il s'impatiente en toutes choses qui ne dépendent pas de lui seul, de sa volonté immédiate, et qui contrarient son dessein.

Lord Randolph le sait-il ? Non, Papa ne sait rien de tout cela, Papa est en voyage, Papa est toujours en voyage. Il ignore jusqu'à l'âge exact de son fils. Pourtant, depuis longtemps, la voix de son père est entrée dans ses rêves, Winston l'entend chaque nuit comme si c'était la sienne : « Si tu m'abandonnes, si tu m'oublies, je n'existe pas, je ne suis plus rien. » Plus tard, il se dira : « J'ai grandi dans la poche de son gilet, oublié comme un penny » ; il exaucera ce fantôme, il brandira ses griefs et ses poings envers la terre entière mais pas contre lui, *Heavens no !* pas contre lui ! Puisqu'on lui a appris à être indocile, il sera son seul maître et deviendra célèbre pour se venger de tout ce mauvais sang.

Ce fut d'abord cela, le grand Churchill, un petit bout d'homme, un roquet au poil roux, une ambition furibonde dans le dortoir vide d'un collège anglais. Un fils à papa *et* un autodidacte. Un outsider. Un éternel intrus. Un cancre. À douze ans, il écrit à sa mère : « Lorsque je n'ai rien à faire, ça ne me gêne pas du tout de travailler un peu, mais lorsque j'ai le sentiment qu'on me force la main, c'est contraire à mes principes. » Quels principes ? Étrangement, à sa mère, sa principale confidente jusqu'à son mariage avec Clementine, il dit toujours la vérité. Ceci par exemple, quelques années plus tard : « Ce qui m'importe, ce sont moins les principes dont je me fais l'avocat que l'impression produite par mes mots et le renom qu'ils me donnent. Cela semble affreux, mais il faut tenir compte du fait que nous ne vivons pas à l'époque des grandes causes. Pour forcer un peu le trait, je dirais que je cède très souvent à la tentation de plier la réalité au gré de mes phrases. La sensation d'une grave nécessité ou une injustice flagrante me pousserait à la sincérité, mais je découvre rarement en moi une émotion sincère. » Il est devenu pédant.

Tout en sollicitant son avis, quoi qu'il fasse, il la somme de ne pas le décevoir : «Ne me dis pas ce que tu penses mais ce que je voudrais que tu penses»! Sa sincérité, c'est son désir. Et son désir est une emphase. Sa candeur brutale l'empêchera de devenir un parfait cynique. Ce qu'on ne saura jamais, c'est si l'ambition précède et fouette le génie déjà là, ou si, au contraire, en déployant ses ailes par un pur élan, s'étonnant de la foule des hommes qui accourt devant lui, l'acclame et marche dans ce mirage effronté, Winston s'avise après coup de l'ampleur qu'elle a, acharné à l'accroître, quitte à se brûler les plumes à la manière des héros.

4.

Les nuits de Darjeeling
sont fraîches

Londres-Bombay-Bangalore,
été-automne 1896

Je n'ai pas l'intention de rester indéfiniment
dans l'armée. Je compte entrer au Parlement,
et un jour, je serai Premier ministre.

W. C.

L'armée de la reine Victoria où Churchill fait ses débuts, dans les années dix-huit cent quatre-vingt-dix, ressemble encore beaucoup à celle qui affrontait les soldats de la Grande Armée. Les troupes sont commandées par des hommes issus de l'aristocratie et des classes supérieures, formés par les public schools – *officier et gentleman, c'est tout un. Contrairement à Napoléon qui recrutait ses généraux dans le peuple, Wellington avait décrété que cela devait être ainsi et c'était ainsi. Sans limite d'âge.*

À l'époque, il n'est pas rare que certains officiers restent en poste au-delà de quatre-vingts ans. On arbore fièrement ses blessures comme des trophées, on porte des toasts à la reine, on boit du gin, on joue au billard ou aux cartes, on s'occupe de ses chiens et de ses chevaux. What else? *Deux généraux, Roberts et Wolseley, sont borgnes ; lord Raglan est manchot. On ne compte pas les boiteux qui brandissent leur canne comme une houlette.*

Les hommes sous les drapeaux sont relativement peu nombreux. On cite le mot de Bismarck : « Que feriez-vous si l'armée britannique envahissait la Prusse ? – J'enverrais la police et je la ferais arrêter. » Et pourtant l'Angleterre règne sur la moitié du monde. Ni corps, ni divisions, ni brigades. Tout s'organise autour des régiments – un régiment d'infanterie pouvait comporter un seul bataillon de sept cents hommes répartis en cinq ou six compagnies. Un régiment de cavalerie – dragons, lanciers ou hussards, comme celui de Winston – comprend entre trois et cinq cents hommes sous les ordres d'un colonel, de quatre commandants, de huit capitaines et d'une ribambelle de lieutenants. La tunique d'apparat des hussards est bleu et or mais il est admis qu'une touche d'excentricité ne messied pas aux officiers. Boucles, cravates, foulards. Le dandy s'habille pour être invulnérable, comme le chevalier revêtait son armure.

Winston ne se déplaît pas à l'académie militaire de Sandhurst où il est finalement admis après deux échecs piteux au concours d'entrée. Il aura bientôt vingt-deux ans – il a mûri. Un peu.

À la veille de son départ en Inde, il est invité à un dîner solennel en l'honneur de Son Altesse royale le prince de Galles chez la duchesse Lily, sa tante, dans le Surrey. Il écrit, lucide : « Je dois en matière de conduite me hisser jusqu'à l'excellence ; je devrai être ponctuel, soumis, réservé, ce qui revient à acquérir toutes les qualités dont je suis le moins pourvu. » Winston est un adepte du *wishful thinking*. C'est un dangereux optimiste.

Pour commencer, il manque le train de six heures à destination de Dorking et arrive, en nage, le col de guingois, avec plus d'une heure de retard chez la duchesse. *So embarrassing !* Sans lui, les invités étaient treize à table, on a frisé la catastrophe. Édouard, prince de Galles, duc de Rothesay, de Cornouailles et de Saxe, comte de Chester et de Dublin, fronce les sourcils et lance à Winston avec son léger accent germanique : « On ne vous apprend donc pas à être à l'heure dans votre régiment, Winston ? » Silence gêné. Barbazon, son colonel, vieil ami de la famille, baisse les yeux, ce qui n'est pas dans ses usages. Winston se tait pendant au moins une bonne minute, ce qui est encore plus rare. La duchesse lui pince l'oreille : « Sacré vous ! Tu es vraiment incorrigible, mon petit Winston. »

Édouard boude un peu pour signifier à Winston sa pénitence mais, très vite, il plaisante avec

le jeune brigand ; il lui pardonne ce *faux pa'ah*
– il a été l'ami de son père et il est follement
amoureux de sa mère qui vient de rentrer d'une
joyeuse escapade sur le continent et ne répond
que par intermittence à sa royale assiduité. Le
prince de Galles n'est pas le seul – ni à être épris
de Jennie ni à être indulgent envers son fils qui,
en société, se montre à la fois insupportable et
irrésistible.

C'est un bel été. Winston monte à cheval,
danse, chasse ; il est insoucieux de ses nombreux créanciers qu'il éconduit avec obligeance,
comme Dom Juan. Entre égaux, les dettes sont
une affaire d'honneur. Avec les autres... De sa
mère, Jennie, à qui il ne cesse d'écrire des lettres
intimes, tendres, exclusives – plutôt d'un soupirant jaloux que d'un fils –, il a hérité le don de
savoir vivre. C'est lui sans conteste le plus posé
et le plus maternel des deux, ce qui a de quoi
effrayer le reste de la famille.

Winston se donne, il s'adonne, il se dépense
– sans compter. Mais au fait, de quoi vit-il ? On
ne sait trop. Lui non plus. Il doit de l'argent non
seulement à sa mère, à ses amis, à son cousin,
mais aussi à son tailleur, à son chapelier, à son
bottier, à son sellier, à son libraire, à son mar-
chand de vins... Il doit entretenir ses chevaux –
cinq en tout dont trois pour le polo. Il mène

grand train mais il est sans un sou. Sur le plan pécuniaire, c'est un enfant. Il écrit ingénument à Jennie, aussi dépensière et aussi étourdie que lui : « *My darling Mum'mah*, si je n'avais pas été assez sot pour t'écouter et payer tout un tas de factures, aujourd'hui je ne serais pas sans argent ! » C'est imparable.

Winston n'a pas la mentalité d'un officier de carrière, il n'a aucune envie de se morfondre pendant de longues années dans une garnison perdue aux confins de l'empire. Et puis Londres est une ville si pleine d'agréments – c'est la Belle Époque, non ? Depuis son séjour à Cuba comme correspondant de guerre pour le *Daily Graphic*, il se sent l'âme d'un reporter. À condition d'être envoyé là où il y a du grabuge, évidemment. Ce qu'il veut ? Du feu et du sang. Pas le sien. Encore que. Pourquoi pas la Crète où des révoltes viennent d'éclater contre l'Empire ottoman ? Il pourrait peut-être accompagner l'expédition de sir Frederick Carrington au Matabeleland ou bien encore, ça serait épatant, rejoindre le 9e lanciers dans ce nouveau pays : la Rhodésie…

Car le journalisme, à cette époque, en Angleterre, est une source de revenus non négligeable. Winston veut suivre, là aussi, l'exemple de son père, lord Randolph, qui a collaboré régulièrement à plusieurs feuilles. Et puis la solde d'un lieutenant est bien mince – une carrière d'officier n'est envisageable que si l'on est doté d'une solide fortune personnelle. Aucun journal, hélas, ne semble pour le moment intéressé par ses offres de services. Il plaide auprès de sa mère pour qu'elle sollicite des amis influents. Il se démène, remue ciel et terre. Sans succès.

N'ayant pas obtenu un congé de l'armée, Winston n'a plus le choix. Ce sera les Indes, une destination dont le pluriel enflamme les âmes naïves mais qu'il reçoit comme un verdict accablant, une punition, un exil. Le 18 septembre 1889, il embarque à Southampton à bord du *SS Britannia* avec tout son régiment. Le voyage dure presque un mois – vingt-trois jours, c'est long ! Le bridge, non merci. Il ronge son frein, il joue en bâillant au billard ou aux échecs avec ses compagnons, il fume, il boit. Trop, déjà. La musique de chambre au clair de lune, ce n'est pas dans ses cordes – les violons l'ennuient. Il préfère les cuivres. Que faire ? Dormir, il n'a jamais trop aimé ça. Non, il n'y a rien à faire sur ce foutu bateau. Depuis son plus jeune âge, Winston a toujours été plus actif que contemplatif.

Le temps s'étire, le jour succède à la nuit, quelle barbe ! Il n'a pas le mal de mer, il a déjà le mal du pays. Il enrage ; il rêve de l'Écosse : la reine Victoria fête en ce moment le soixantième anniversaire de son règne à Balmoral, ce qui serait beaucoup plus amusant, non ? Pendant ce temps-là, on l'envoie, lui, Winston Churchill, à des milliers de kilomètres de Londres dans une contrée de sauvages ! Sur le pont, c'est une cohue de soldats qui affiche sa gaieté. Winston souffre de cette promiscuité claironnante et braillarde. Personne à qui parler. Personne devant qui briller. C'est peut-être cela qui le déprime le plus. La chaleur est insupportable : est-ce un avant-goût du purgatoire ? C'est bien la preuve qu'en quittant le Kent, on s'éloigne de la civilisation.

Pour couronner le tout, à peine arrivé, il glisse sur le sol humide du quai et se démet l'épaule ; il croit l'accident anodin et, mal soigné, conservera une faiblesse de l'articulation qui lui interdit désormais de lever le bras droit au-dessus de la tête, par exemple, de brandir une raquette ou un sabre. Il ne s'en soucie guère – il lui reste le pistolet ! – mais il ressent néanmoins une gêne et, il l'ignore encore, cette luxation sera toute sa vie sujette à la récidive : nager, ne serait-ce que saisir un livre sur une étagère, ou bien dormir en glissant un bras sous l'oreiller, ce sera dorénavant à ses risques et périls. (En vérité, Winston souffre d'une lésion récidivante de l'articulation située entre la clavicule et l'acromion – l'acromion étant une extension de l'omoplate qui forme l'extrémité de l'épaule.) Plus tard, cela aussi il l'ignore encore, Winston sera viscéralement opposé à Hitler mais, eût-il été tenté par l'hitlérisme, que le salut nazi lui aurait été, physiquement, impossible.

Arrivé à Pune – l'ancienne Punvadi, capitale de l'Empire marathe au XVIIe siècle, ce dont il se fout comme de l'an quarante – où est cantonné le gros des troupes, il déchante. «*Ah India, my country, my country!*» a écrit Kipling. «Le joyau de la couronne britannique», lui avait vanté le colonel Brabazon. L'Inde, mère des songes et des dieux… Non, le Raj britannique, ce n'est pas du tout ce qu'on croit. Kipling exagère, vraiment! On ne mange que du riz – Winston a toujours préféré les pommes de terre. On s'évente désespérément, même à l'ombre – les ventilateurs sont encore rares, à l'époque. Au-dehors, on risque l'insolation – le casque colonial, le *topee*, est obligatoire. La nuit, il faut s'encager dans une moustiquaire. Comme l'eau est pourrie, on ne boit que du thé, ce qui ne vaut guère mieux. Et puis, on peut attraper d'horribles maladies!

Si l'on veut survivre, il faut se réfugier dans les montagnes du nord et du nord-ouest – à Nainital, Mussoorie ou Darjeeling – pour espérer un peu de fraîcheur. La plus coquette de ces stations d'altitude, c'est Shimla, près de Chandigarh, dans l'Himachal Pradesh, où le vice-roi des Indes s'installe avec sa cour quand les températures deviennent folles. Des parcs, des statues, des fontaines. Du gazon. Tennis ou cricket ? On se croirait presque en Angleterre – c'est très vert, comme le Surrey. Enfin presque.

Il faut surtout éviter le curry, n'est-ce pas – cette odeur des gens d'ici qui suinte par tous les pores de leur peau ! Dans les rues, ça sent la rose pourrie, l'encens et le fumier. On se déplace en rickshaw ou en chaise à porteurs, les *dholis*. On lit les journaux : *Punch, Country Life, The Times*, et l'on commente les nouvelles de Londres, cela avec un bon mois de retard, comme si le temps s'était arrêté, comme si on voulait se convaincre que l'Inde n'existe pas. Heureusement, il y a les clubs, strictement réservés aux messieurs : là, dans un nuage de tabac parfumé au miel, on est entre soi, on s'appelle *old chap*, on se salue avec de grandes claques dans le dos et on échange des blagues racistes. Connaissez-vous la différence entre le Bengal Club et le Bombay Club ? Dans le premier, les chiens et les Indiens ne sont pas admis ; dans le second, on accepte les chiens. D'ailleurs, ce n'est pas une blague. L'Inde est peuplée de moricauds. Ce sont des *wogs* – « *Worthy Oriental Gentlemen* », c'est-à-dire des « bougnoules ».

Winston est totalement insensible à leur charme.

Étrangement, le sexe, qui a tenu une place si importante dans la vie de sa mère et aussi dans celle de son père, ne semble pas sa principale préoccupation. Lui, si audacieux dans toutes les épreuves physiques, si hâbleur, il se tient coi. C'est l'un des rares domaines où il se montre silencieux. «*No sport!*» dira-t-il beaucoup plus tard pour expliquer sa recette de santé. Quel menteur! C'est par là, au contraire, qu'il s'assouvit comme un adolescent attardé – il se met le rouge aux joues, mouille sa chemise, épuise son corps méthodiquement pour qu'il se taise. Le fait est qu'il est sans doute encore puceau et qu'il souhaite le rester. Ce qu'il sait de l'amour, ce sont les vantardises de ses camarades, les infidélités de sa mère, les frasques de son père et les effets de la syphilis. Non merci, rien ne presse. Sur ce plan-là aussi, il est resté un enfant.

D'ailleurs, les femmes, entre nous... Woom lui a toujours dit de s'en méfier. Oscar Wilde prétend qu'elles ont le goût du veau bouilli. Une exception : Pamela Plowden... Mais s'il lui fait la cour – et cela va durer plusieurs années –, c'est avec la ferme intention de l'épouser. Les autres femmes ne semblent pas l'intéresser. Les Anglo-Indiennes lui paraissent toutes laides et vulgaires, il ne s'en cache pas. Lui qui a tant adoré, à Londres, les fêtes, les dîners brillants, les conversations légères, il se tient à l'écart des mondanités de la vie coloniale. Il passe presque pour un malappris auprès des dames de la bonne société à force d'ignorer le rite du *calling* qui consiste à se rendre visite à tour de rôle entre expatriés et à échanger des potins devant une tasse de thé. Il préfère le polo où il excelle, malgré sa douleur à l'épaule. Plus anglais encore qu'il ne le supposait, il découvre la chasse aux papillons et le jardinage, avec un penchant pour les roses.

Oh, et puis zut! Arrivé à Bangalore (Bengaluru) après un voyage harassant de trente-six heures, un beau matin, Winston décide qu'il va aimer l'Inde. Ce sera plus simple. Il faut dire que l'endroit est ravissant : cette bourgade du Karnataka est située à mille mètres d'altitude. La chaleur est rude mais les nuits sont fraîches, sauf dans les mois qui précèdent la mousson. Winston pose ses pénates à quelques kilomètres de la ville dans un vaste bungalow à colonnes, avec une véranda et un jardin que rehausse la splendeur des grappes de bougainvillées; il s'installe avec deux camarades, Barnes et Baring. L'avantage, ici, c'est qu'avec trois sous et une badine, on est servi : un boy, un majordome, un balayeur, un lad, trois jardiniers, un porteur d'eau, un gardien.

Winston ne sait pas vivre sans s'entourer d'une armée de serviteurs. Il prend ses repas au mess des officiers avec ses deux camarades.

Réveil un peu avant l'aube au son du *bugle*. Les officiers de cavalerie doivent être prêts pour la parade à six heures du matin. Ensuite, pendant une heure et demie, ils s'adonnent à la manœuvre, pratiquent des exercices, s'entraînent au tir, apprennent à élever une escarpe, creuser une sape ou une tranchée. Puis, c'est l'heure du bain suivi du petit déjeuner. Après quoi, ils sont libres de flâner le reste de la matinée et une partie de l'après-midi. À cinq heures : polo – c'est devenu sa passion. Nouvelle suée appelant un nouveau bain. Dîner à huit heures trente. Fanfare facultative. Extinction des feux à onze heures. Pour cela, outre une indemnité de logement, les lieutenants sont payés quatorze shillings par jour, plus trois livres par mois pour l'entretien des chevaux. Ce n'est pas le Pérou.

Winston se surprend pourtant à se sentir pleinement heureux, délesté de tout souci, éloigné des abîmes qui l'ont hanté pendant ses années de collège. Le Chien noir reste dans sa niche. Il est fier de remporter plusieurs trophées, dont la très convoitée Golconda Cup, avec l'équipe de polo du 4e hussards. On se met à vanter dans les cercles d'officiers l'adresse de ce manchot frénétique – le bras droit enrubanné autour de son torse, Winston manie son maillet de la main gauche avec une telle dextérité qu'elle lui vaut une petite renommée locale. Il savoure cette gloriole sans en être tout à fait dupe. Dans une lettre à Jennie qui, de Londres, continue de surveiller ses progrès et veille sur sa carrière, il écrit en post-scriptum : «Fais tout ce que tu peux, je t'en prie, pour qu'on m'envoie à la guerre.» Il n'en démord pas.

La chambre de son bungalow est tapissée de souvenirs et de photographies de sa mère : en robe du soir, en écuyère, en Shéhérazade. Il ne se sépare jamais de l'étui à cigarettes en laque qu'elle lui a rapporté du Japon. Il y a aussi une photo de son père, lord Randolph, la raie au milieu, avec ses yeux de crapaud mélancolique et sa moustache de morse. Il a hérité du fauteuil, du bureau et de l'encrier en cuivre de lord Randolph dont il a entrepris d'écrire la biographie. Parfois, devant la glace, il s'amuse à imiter la voix de son père, son phrasé, sa scansion, avec ce branle amer de la tête qui ponctuait ses discours, comme si son crâne soudain pesait une tonne. Pour Winston, il n'y a rien de plus singulier que cela, ce qui se décèle d'une personne dans sa voix, dans ses mots, ceux qu'il trouve et ceux qu'il ne trouve pas, dans ses silences

– la brûlure d'un silence si vaste qu'il fait mal. Comme une pierre chaude sur la langue.

La politique, il y songe. C'est – ce serait – amusant. Lord Randolph avait coutume de dire : «La politique, c'est comme se réveiller le matin : on ne sait jamais quelle tête on va trouver sur l'oreiller.» Ou bien : «On vous demande de rester debout, vous avez envie de vous asseoir et on espère que vous allez mentir.» Il se méfie des libéraux – ils sont surtout libéraux avec l'argent des autres. La gauche, pitié! c'est une bouche d'égout, au mieux un tuyau percé. Non, il sera conservateur et pragmatique. Son programme : ouvrez l'œil avant de sauter dans le vide, voire : n'y sautez pas si on vous tend une échelle! Ce qui compte, et les tories en sont les garants : la splendeur de l'empire et la suprématie de la flotte. Il n'y a rien d'autre à défendre.

Mais pour l'heure, Winston a une autre idée en tête : il veut devenir jockey! Il a affiché au-dessus de son lit une photographie d'Abbesse de Jouarre – un crack affublé du sobriquet «Abscess of the Jaw» par les parieurs mais qui courut avec succès pour lord Randolph. Comme ses parents, Winston adore le turf et la *fashion*, et il est excellent cavalier. Sa mère s'inquiète; elle en a parlé au prince de Galles avec qui elle est au mieux et qui, en tant qu'*ami* de la famille, s'y oppose. Winston tient bon. La duchesse Lily lui a promis de lui offrir un pur-sang : il arrive enfin, c'est une rosse ! Tant pis. Winston s'entête. Son second cousin, le marquis de Londonderry, parraine sa candidature au Turf Club ; le colonel Brabazon l'appuie. Il s'intronise donc jockey et adopte pour concourir les couleurs de l'écurie de son père : toque et casaque en soie rose à damiers chocolat. Parce qu'il adore le rose et que ça, alors ça, jockey, ça l'aurait bluffé, le paternel !

Pour ses camarades, Winston est un coq maigre, ombrageux, prompt à rétorquer à un affront et à exiger réparation d'une incivilité. Aussitôt provoqué, il répond, il se fâche, il s'exalte ; il prend la mouche. Pourtant, au-delà de ses bravades et de son insolence étudiée, Winston se transforme insensiblement. En Inde, comme il a du temps libre, il apprend à réfléchir. Il reste un dilettante – de *diletto*, le plaisir – mais, enclin à approfondir ses sensations, il s'étonne lui-même et il s'enchante de connaître des joies nouvelles, intenses, insoupçonnées.

Par récréation, pour se délasser des sueurs et de la cavalcade, il s'est mis à élever des roses... Et comme il ne fait rien sans passion, il s'adonne à plein à son nouveau hobby, ce qui lui donne en sus l'occasion d'épater son auditoire. La culture des roses relève d'un art médiéval aussi ancien que la vénerie : n'est-ce pas Thibaud IV, comte de Champagne et futur roi de Navarre, qui, en 1240, rapporta de la VIe croisade la rose de Damas rebaptisée rose de Provins ? Comment, vous ne le saviez pas ?… C'est au cours du XVIIIe siècle qu'on a acclimaté en Angleterre les rosiers de Perse et les rosiers de Chine : par exemple, la *Rosa chinensis*, la *Slater's Crimson* appelée aussi *Miss Lowe's*, en 1772, la *Parson's Pink* un an plus tard ou encore la *Blush tea-scented* de Hume en 1809, à ne pas confondre avec la *Yellow tea-scented* de Park introduite en 1835 ! Connaissez-vous le pasteur Hole à qui l'on doit… en 1858, si ma mémoire est bonne, la première exposition de roses en Angleterre ? Et David Austen ? Voyons, c'est lui qui, en croisant les Galliques et les Damas à des rosiers d'Europe, a créé cette merveille : le rosier anglais, *my dear*, qui allie des formes en coupelle ou en rosette à la « floribondité » ! Soudain, il se met à pérorer comme un cuistre, avec l'aplomb candide d'un autodidacte. Il devient aussi incollable sur les papillons : à l'en croire, le Grand Mars changeant (*Apatura iris*) appelé en anglais « l'Empereur pourpre », l'amiral blanc (*Lemenitis arthemis arthemis*) et le machaon (*Papilio machaon*) abondent dans son jardin.

Et puis, s'il ne découvre pas la lecture – il avait appris par cœur de longs passages de Shakespeare au collège –, il devient un liseur systématique. Il dévore les huit tomes de *Le Déclin et la Chute de l'Empire romain* de Gibbon que sa mère lui a envoyés de Londres. Il revisite son cher Macaulay – douze volumes! Mais son champ d'intérêt s'élargit : Schopenhauer, Malthus, Darwin, la *Politique* d'Aristote, *La République* de Platon, *La Richesse des nations* d'Adam Smith et même les *Mémoires* de Saint-Simon. Du moins, il s'en vante.

Il s'intéresse peu aux romans, même s'il entreprend, par jeu, d'en écrire un, d'abord intitulé *Une affaire d'État*, qui deviendra *Savrola*. Il lit avec bonheur, outre le *Waverley* de Walter Scott, *Le Cas étrange du Dr. Jekyll et de Mr. Hyde...* et *Enlevé!* (*Kidnapped!*) d'un certain Robert Louis Stevenson en s'émerveillant des ressources autobiographiques cachées sous l'accoutrement du romanesque. Accusé par un parent indigne d'un crime dont il est innocent, le jeune héros de *Kidnapped!* est déshérité, condamné à l'errance avant d'être rétabli dans ses droits, après un long périple de cape et d'épée dans l'Écosse de Jacques II. Le roman lui sonne quelques cloches. Sait-il que l'auteur s'est longtemps opposé à la volonté de son père? Winston, après tout, n'est peut-être pas le seul petit garçon à avoir été incompris!

Il passe Noël au Bengale avec son copain Baring, visite Calcutta et s'en félicite parce que, entre nous, une fois suffit! Il en a assez de prendre des coups de soleil – comme tous les Anglais, il ne bronze pas, il rosit. Il est clair qu'il n'a pas encore trouvé sa voie et qu'il ne sait pas quoi faire de sa peau. Au bout d'un an, Winston commence à s'impatienter. Il ne tient plus en place. Le 8 mai, il rentre en Angleterre pour une permission de trois mois. La politique ou la guerre : il ne songe plus qu'à ça. Ce qu'il veut : en être, y être. Il fait escale à Aden. Mauvaise nouvelle : les Grecs veulent faire la paix avec les Turcs, *blast*! Il est temps de changer son fusil d'épaule – la bonne, si possible.

5.

« Always savor the thrill »

Afghanistan, été 1897

Quand vous devez tuer quelqu'un, cela ne coûte rien d'être poli.

W. C.

On dirait que certains hommes n'ont jamais été jeunes et l'on craint toujours qu'ils se vengent un jour de cet oubli. Winston, c'est le contraire – a-t-il jamais cessé de l'être ? Si la jeunesse est déni de la mort, impatience amoureuse – et suprême dédain envers le danger – Winston en a respiré le sel, l'extrême saveur, l'exquise épouvante. Sa seule devise : « Always savor the thrill » *– il n'en changera pas. Quand on est avide de sensations, quoi de plus excitant que de se faire tirer dessus et de passer à travers les balles qui sifflent à vos oreilles ?*

À la fin de l'été 1897, le Malakand, alors province du nord-ouest de l'Inde anglaise, en territoire pachtoune – aujourd'hui un district de la province de Khyber Pakhtunkhwa, au Pakistan –, n'a rien d'un lieu de plaisance, ce qui confère à cette contrée insoumise et lointaine un attrait irrésistible pour Winston. Depuis la fin du XVIIIᵉ siècle, l'Angleterre se sent obligée de répondre aux visées hégémoniques des tsars qui, après avoir annexé Samarcande et Boukhara, étendent leur influence jusqu'aux confins de l'Asie centrale. Le Colonial Office veut créer une zone tampon en Afghanistan afin de contenir l'expansionnisme russe et d'assurer la sécurité des routes vers l'Inde via les cols de l'Hindou Kouch. Or des tribus afghanes se sont soulevées dans la vallée de la Swat. Les forts britanniques sont menacés. Dans ce pays où l'économie repose sur le brigandage et la culture ancestrale du pavot, les petits khans pillent, rançonnent, font la loi. C'est mauvais pour le commerce. Il faut que cela cesse. C'est pourquoi on dépêche le général Bindon Blood à la tête de trois brigades dans la région de Chitral où une forteresse stratégique commande l'accès au Raj. Blood – avec un nom pareil, on sait d'emblée qu'on ne va pas jouer au badminton ! La campagne de la vallée de Tirah reste un épisode obscur et peu glorieux pour l'Angleterre mais, pour notre Fabrice du Kent, rêvant de coupoles et de minarets, ce sera le baptême du feu.

Vite, en Angleterre ! Winston embarque à Bombay sur un vieux rafiot poussif et inconfortable ; la traversée est un pur cauchemar

– canicule, gros temps, mal de mer. Escale à Aden – des ciels blancs, une mer de plomb. Un peu dégoûté des flots, il quitte le navire à Naples, visite Pompéi, puis Rome et Paris ; il arrive enfin à Londres juste à temps pour assister au grand bal annuel costumé, l'un des événements de la *Season*, à Devonshire House. «Mais certainement, mon oncle... Mais comment donc, ma tante... Comme il vous plaira, mon cousin... Vous êtes trop aimable, ma cousine...» On a beau être un aventurier, la famille a du bon.

La destruction de ce palais inspirera plus tard une élégie au poète Siegfried Sassoon, et à Virginia Woolf une page nostalgique dans son roman *Mrs. Dalloway*. En attendant, escortée de ses soupirants – un «ours brun», un «Jules César *imperator*» et un «Méphisto» –, Jennie paraît à peine déguisée en Théodora, impératrice de Byzance ; Winston est en Richard Cœur de Lion ou quelque chose comme ça. Radieux, il soulève le ventail de son heaume pour embrasser sa mère. Dans couvre-chef, il y a le mot *chef*. Winston, comme Jennie, collectionne les chapeaux, il s'en coiffe volontiers en toutes occasions, assez enclin à stupéfier l'assistance.

Winston n'a plus qu'une chose en tête : la guerre. Las de batailler en songe, il cherche une occasion de montrer à tous son courage et de se couvrir de médailles pour se faire élire à la Chambre sur les brisées paternelles. Il n'envisage pas sérieusement une carrière militaire : son rêve héroïque n'est qu'un préalable, un *prerequisite* à son ambition politique, il ne s'en cache pas. Une bonne guerre, c'est tout ce qu'il veut, nom de Dieu ! Il paraît brouillon, on le croit obsessionnel, il n'est que méthodique.

Il a de la chance. C'est son arme principale, avec le culot. Et le bagout. Cet été-là, des tribus pachtounes se soulèvent dans la vallée de la Swat, sur la frontière anglo-afghane, au nord-ouest de l'Inde. Winston apprend qu'un corps expéditionnaire composé de trois brigades va être envoyé sur place sous le commandement du major-général sir Bindon Blood – *Thank God*, c'est un ami de la famille ! Winston écrit aussitôt à Blood : il veut une place. Blood, ne pouvant sur-le-champ lui obtenir une affectation officielle, l'invite à l'accompagner comme correspondant de guerre : c'est mieux que rien.

Retour à Bangalore : nouvelle traversée, nouveau cauchemar. Winston obtient l'accord du colonel de son régiment et sollicite une accréditation auprès d'un journal par l'entremise de sa mère. Le *Daily Telegraph* accepte son offre ainsi que le *Pioneer*, un journal indien qui a déjà publié plusieurs reportages de Kipling. *Splendid !*

En un tournemain, Winston fait son paquetage, lesté de plusieurs volumes reliés de Gibbon et de Carlyle – un cadeau de sa mère. Il embrasse ses canassons, salue ses camarades et, le feu à ses basques, file comme un lièvre à la petite gare de Bangalore. Là, il vide ses poches, dépose un tas de roupies sous le nez du guichetier indien ébahi : « Je vais au nord, mon ami. Jusqu'où puis-je aller avec ça ? – Hum ! environ deux mille trois cents kilomètres, *sahib*... » Banco ! Winston compte cinq ou six jours de voyage. On verra bien jusqu'où ce tortillard le conduira.

Avec un billet de première classe – il n'en connaît pas d'autres –, il a gagné une place de choix dans une sorte de wagon à bestiaux, lui qui se sent un brin claustrophobe : les persiennes sont closes, une roue de paille humide est censée diffuser un peu de fraîcheur dans le compartiment. Vraiment ? C'est juste irrespirable. On suffoque. Il est ravi. Dans l'incapacité de lire – sa nouvelle passion – à cause de l'obscurité et de la chaleur, il se réfugie la nuit sur la plate-forme, le nez au vent, bercé par les secousses, humant l'air qui sent bon la rose et le crottin.

Winston atteint la gare de Rawalpindi dans le Pendjab où il rejoint le 4e dragons, en partance pour le front, puis Nowshera. Une crotte de mouche sur la carte. Conscient de s'aventurer

81

dans l'inconnu, il écrit à sa chère maman sa lettre la plus grave : « J'ai tout bien pesé ; le fait de servir dans l'armée britannique me donnera plus de poids en politique ; je serai mieux écouté et peut-être même deviendrai-je quelqu'un de populaire dans le pays... Je vous parle librement car, quand cette lettre vous parviendra, ce qui doit s'accomplir sera accompli. J'ai confiance dans mon étoile – je veux dire que *je suis destiné à faire quelque chose dans ce monde*. Si je me suis trompé, quelle importance ? Ma vie aura été agréable ; si je devais la quitter, ce serait avec regret – mais un regret que je ne connaîtrais jamais. » Il y a, chez lui, outre sa lucidité et son grain de folie héréditaire, un alliage de volonté et de fatalisme qui n'appartient qu'à lui.

La dernière étape du voyage consiste en une marche harassante de cinquante kilomètres en montagne : la colonne de soldats s'étire, sinueusement, sur des pistes semées de cailloux et d'ornières et qui parfois s'amenuisent jusqu'à former de minces corniches au-dessus des ravins. On progresse avec lenteur en guettant les embûches du terrain. La perte d'une mule, précipitée dans le vide avec toute sa charge, les quatre fers en l'air, suscite un bref effroi. On serre les rangs. À son arrivée au camp, titubant de fatigue, Winston se voit attribuer une tente, une place au mess des officiers et une timbale de whisky qu'il accepte presque à contrecœur – il apprécie le vin et le cognac mais jusqu'ici l'arôme iodé du whisky lui soulevait l'estomac. Entre de l'eau tiède au citron dont il faut recracher la pulpe et les pépins, et de l'eau tiède coupée de whisky, il choisit l'option la plus riche de promesses et, en quelques jours, surmonte avec succès son aversion pour ce breuvage.

Le major-général Blood rentre d'une expédition punitive couronnée de succès contre la tribu des Bunerwalis – un carnage ! On ne sait pas trop de quoi il est le plus fier : de sa moustache, de ses hommes ou de son ancêtre, le colonel Thomas Blood qui déroba les joyaux de la Couronne en 1671. En son absence, le 11e lanciers du Bengale et la cavalerie des guides ont réussi à disperser une faction hostile : les Swatis de Chakdara. Winston ne sait pas exactement qui sont ces gens mais cela ressemble à une bonne nouvelle. Les pertes sont limitées, néanmoins plusieurs officiers ont été tués au cours des affrontements. Conformément à la coutume, leurs effets personnels sont vendus aux enchères dans le camp. Il acquiert deux chevaux, engage un palefrenier et se munit d'un équipement de campagne. Avec quel argent ?… Mystère.

Le major-général Blood l'accueille comme un fils et le place à ses côtés, à table comme à cheval. Une nouvelle expédition est lancée contre les tribus dans la vallée. Enfin ! Ce jour-là, Winston apprend un mot nouveau : *sniper*. Le tireur embusqué, spécialité locale. Un peu plus tard, à la tête d'une compagnie de cipayes, le 31e d'infanterie du Pendjab, il fait rapidement des progrès utiles dans les langues étrangères : *muro ! (kill !)* et *chalo ! (get on !)*. Ce doit être de l'urdu...

C'est une guerre sale – il n'y en a pas d'autre. Les Anglais commettent des atrocités : ils brûlent les villages, détruisent les récoltes, dispersent le bétail. Winston n'est pas aveugle, il n'est pas plus choqué que cela. C'est ainsi. Les Afghans égorgent les soldats qui tombent entre leurs mains et achèvent les blessés. Les Anglais font de même – c'est très mal, il ne faut pas le dire – pour venger leurs camarades. Pas de prisonniers ! C'est une règle locale. Il ne participe pas directement au sale boulot mais il ne condamne pas les exactions. Il s'agit d'anéantir sur le terrain toute forme de résistance. Ces Afghans ont besoin d'une bonne leçon, non ?

Winston a éperdument rêvé de vivre ce qu'il vit cet été-là. Il n'est pas déçu. Charger au galop à la tête de son escadron, c'est comme céder à une étreinte ou plutôt boire la tasse – une pure lampée de néant. La ruée annule la peur. Le corps ne résiste plus à l'âme puisqu'ils ne font qu'un. Tout hurle, tout tremble, tout palpite. Ça pue : la gloire, le sang, la merde. Des têtes fendues comme une poire. Un jeu de quilles. Une autre idée de l'amour quand il est un chaos, une ivresse, une clameur unanime. Un brasier divin. Une autre idée du réel, enfin ! Rebelle sans cause – l'empire de Victoria n'est pas une *cause*, c'est un héritage sacré –, Winston a connu et aimé cette furie : le fracas et la fraternité des armes, les fifres, les fumées, les hourras, la cornemuse… *We happy few, we happy band of brothers,* auprès de quoi tout paraît fade.

Et cela, avec une insolence étudiée, un brin mariole, les joues gonflées de son ambition précoce, confiant dans sa destinée tout en couvant on ne sait quel désastre intérieur sous son casque de liège. Comme on se défend de n'être qu'un fils – *Randy's boy*, comme ils disent à Londres. Comme si le fantôme du père, ce vieux gâteux fardé en Commandeur, ce raté magnifique, ce Saturne, tirait les ficelles de sa destinée. Comme si Winston Churchill était un pantin soudain désireux de s'affranchir de la tutelle du patriarche, et capable de puiser dans ses propres entrailles en se proclamant, par défi, maître en désinvolture.

Est-il intrépide ou suicidaire ? S'il adore s'exposer, est-ce seulement parce qu'il croit fermement à sa bonne étoile et ne craint pas de mourir ?

À qui songe-t-il alors ? A-t-il une pensée pour ceux qui n'ont pas su l'aimer ? Il se jette à corps perdu dans la bataille, toutes les batailles, un peu comme un enfant puni se plaît à imaginer la tête qu'*ils* feront quand ils apprendront sa mort.

Le danger, c'est l'essence même de l'aventure – ça se boit au goulot, ça vous fouette le sang, ça vous pique les yeux jusqu'aux larmes. C'est comme le jeu ou l'alcool. Depuis son plus jeune âge, Winston le recherche, à tout bout de champ, par tous les moyens, à pied ou à cheval, comme d'autres le merveilleux, le sexe ou l'argent. *It's so divine, boys !* Dieu, s'il existe, déteste les trouillards ! La reine aussi.

En plusieurs occasions, il se bat et fait face au feu – avec la Rifles Brigade, les chasseurs à pied de Patrick Jeffreys à Domodolah et avec les Buffs, le régiment royal du Kent. S'il ne se fait pas tuer, il a toutes les chances, prédit sir Bindon, de gagner une VC, Victoria Cross, ou le DSO, Distinguished Service Order, qui ne sont pas des médailles en chocolat. Winston ne se prive pas de raconter ses exploits à sa mère et à son ami Barnes dans des lettres enfantines – il ne se vante pas, il s'émerveille d'être là et de participer à ces équipées sanguinaires. Ah, Dieu ! que la guerre est jolie. Sa témérité l'enchante. D'incessantes escarmouches pimentent son quotidien. Des hommes tombent à ses côtés ; il prend un malin plaisir à s'exposer aux balles au lieu de se mettre à couvert comme ses camarades. Puisque la mort ne veut pas de lui...

Correspondant de guerre, mon œil ! Winston est invariablement aux premières loges et, dans tous les sens, il se mouille, ne s'interdisant pas, dans ses dépêches, de critiquer la conduite de la guerre et de proposer les réformes que lui, Winston, juge nécessaires. Mais qu'est-ce qu'il croit ? Ses observations lui attirent la colère de l'état-major, la froideur de ses chefs et la méfiance de ses camarades.

Toutes les pistes s'effacent dans ce pays tragique, parmi des frayeurs de lacs et de forêts, où depuis Tamerlan nul n'est roi qu'en songe – Kipling s'en souviendra dans un récit aux contours fabuleux. Une contrée que nul ne profane, sauf les Anglais qui se croient chez eux et qui vont s'instruire à leurs dépens. Peu de villes, peu de routes. Des hauts plateaux. Des cimes comme si les pierres avaient un désir de ciel. Des bastions, des forteresses d'ardoise, qu'il faut défendre contre le vent, la neige, les *snipers*.

L'Afghanistan. Ce n'est pas un peuple, c'est un soulèvement de peuples. Une oraison au sabre. Des campements de caravaniers où, à l'ombre d'un minaret orphelin, on s'endort sur la paille. Le front brûlant en été, les pieds gelés en hiver, les villageois, les marchands, les guerriers, riches ou gueux, s'y prosternent dans la puanteur du cuir et de la laine agrémentée des relents âcres de la pisse de chameau.

Le mot *paix* n'existe pas dans les langues afghanes. Voilà une chose intéressante pour un Marlborough ! Ce qui régit les rapports entre tribus, c'est la fidélité dictée par des liens d'allégeance et de parenté. Une forme de loyauté supérieure qui fait la force et la faiblesse de ces hommes ignorant jusqu'à l'idée de la douceur. Par delà ses divisions incessantes entre factions rivales, ce qui unit ce pays contre l'envahisseur, dans une commune haine de l'étranger, c'est la foi. Un islam ardent, médiéval, reposant sur une alliance entre le Livre et l'épée. Un pacte politique et spirituel. Une guerre sainte. Cela, il l'ignore encore.

Winston découvre donc les Afghans. Les Pachtounes. Une mosaïque de tribus qui se subdivisent en myriades de familles, de lignées et de clans : les Afridis de la passe de Khyber, les Swatis, les Waziris, les Chitralis, les Kalashs, les Suratis, les Ghilzais, les Abdalis... Pour les Anglais, pour les politiciens de Whitehall, ce ne sont que des rustres en turban, une horde indistincte de brigands avides et barbus qu'enhardit l'espérance d'un butin. D'où viennent-ils ? Qui sont-ils ? Des lointains descendants d'une des Dix Tribus perdus d'Israël, convertis à l'islam, comme certains le prétendent ? Ils s'en fichent.

L'histoire obscure de l'Afghanistan n'est qu'une succession de croisades incessantes justifiant le sac et les rapines. Loin du rêve impérial qui s'incarna à Bagdad ou à Cordoue, il y a dans l'islam afghan, sous un orgueil seigneurial inspiré du Prophète, un élan qui trouve ici sa fureur et son mystère. D'un côté : la pureté coranique, l'extase, la prière. De l'autre : le devoir de violence, l'hégémonie, la conquête, avec je ne sais quoi d'âpre et de hirsute.

Nulle trace ici de ces querelles théologiques sur le thème de la « guerre juste » qui divisent l'Occident chrétien : il y a d'un côté le *dâr al-islam*, le « domaine de l'islam », c'est-à-dire l'ensemble des terres soumises, par opposition au *dâr al-harb*, le « domaine de la guerre » où règnent les infidèles (ou les sceptiques) qu'il faut combattre également, sans merci. Pas plus que les soldats de Sa Majesté, ils ne laissent place au doute.

Mais la lutte est inégale. Avec leurs fusils à un coup, les Afghans, malgré leur vaillance et leur supériorité en nombre, n'ont aucune chance contre les Anglais. Winston reçoit une leçon de stratégie : il comprend que, grâce aux fusils à répétition et aux mitrailleuses, les défenseurs ont désormais un avantage sur les attaquants. Toute offensive est condamnée à l'échec dès lors que l'ennemi, solidement embusqué, peut tirer à vue. On s'extermine mutuellement. Les deux camps se neutralisent. On s'embourbe. La guerre de 14-18 en sera bientôt la sanglante démonstration.

Ce qui est sûr, c'est qu'ils savent manier le sabre et que, malgré leurs pétoires rouillées, ce sont d'intrépides guerriers, des as de l'embuscade et des cavaliers émérites, animés par des codes de chevalerie d'un autre âge et la promesse du Paradis réservé aux héros du *Jihâd*. Des braves ou des fanatiques, comme on veut. Personne n'a jamais pu les vaincre ni les coloniser durablement. Ils adorent les batailles, comme au temps féodal. Winston est charmé.

Ce pays ne lui déplaît pas où la guerre est un rite partagé, non pas un accident mais une fatalité, comme la naissance et la mort. Il y entrevoit, peut-être, une vérité qui ne lui a pas été enseignée à Sandhurst : l'or et le sang, le meurtre et la foi, l'honneur et l'iniquité se touchent. Rude leçon pour un gentleman. On rougit parfois d'une pensée plutôt que d'une action. Est-il troublé ? Non, il ne doute ni de la supériorité de l'homme blanc ni de la vertueuse nécessité de l'impérialisme quand il est britannique, pas plus qu'un centurion

romain ne doute de la grandeur de Rome et
de la suprématie latine sur les autres peuples.
Mais il s'aventure, loin là-bas, aux confins des
choses apprises, dans une région insoupçonnée
qui ébranle la raison et durcit l'âme – soudain
mise à nu, désaccoutrée de ses illusions, rendue
au désert, au chaos immémorial qui gouverne
toutes choses. Et peut-être refuse-t-il cette vérité
comme on répudie l'effroi d'une vision, comme
on s'éloigne d'une attirance ou d'un abîme,
comme on repousse avec dégoût une mouche qui
se pose sur un bol de crème.

Avec cela, l'Afghanistan réitère l'humilité –
celle des vains combats, des victoires effacées
par le temps. Y a-t-il dans l'Histoire silence
plus vaste que celui qui succède à une bataille
oubliée? Au matin, après que les clameurs des
combats se sont tues, une ombre furtive, un
renard en maraude ou un lièvre se glisse parmi
les ossements et les ronces, on entend braire un
âne égaré, et puis plus rien. Winston entrevoit ces
choses, il les entrevoit seulement, avec l'assurance sereine, intouchée par le moindre scrupule,
d'être dans le camp de ceux qui écrivent leur
histoire et choisissent leur destin. Dieu et mon
droit! Il ne doute ni de lui-même ni de l'Angleterre qui sont tout entiers du côté de l'honneur et
de la vertu. À suivre.

6.

Kitchener contre les derviches
(Un joli pudding à la groseille)

Londres-Le Caire-Omdurman-Khartoum, été 1898

Les guerres des rois jadis étaient cruelles et magnifiques ; les guerres des peuples seront plus cruelles encore, et sordides.

W. C.

*Depuis son retour d'Afghanistan, Winston
s'est fait une belle réputation d'agité – «he's just
a thruster», ce n'est qu'un petit arriviste, cla-
ment certains qui ne sont pas aveugles. Il s'en
fiche. Son père le disait bon à rien; il le croyait
trop bête pour faire carrière dans l'artillerie.
La cavalerie? À la rigueur. Winston a peiné à
entrer à l'académie militaire de Sandhurst mais
il en est sorti et, aujourd'hui, il est prêt à tout,
avec un penchant pour l'aventure. C'est surtout
un jeune homme pressé. D'où vient en lui cette
eau grise où il se noie certains jours, cette ombre
funeste, ce pressentiment que la vie est courte et
que le temps est compté? Il ne sait. La mort de
son père, prématurément fauché à quarante-six
ans par une maladie honteuse, le hante, inflé-
chit ses rêves du côté de l'obscur. Et lui, oui lui,
Winston, combien d'années lui reste-t-il à vivre?
Ce n'est pas que la question l'obsède. Ce qui ne*

lui déplaît pas, c'est le côté monstrueux, exagéré, de la chose. Beaucoup de ses amis d'ailleurs en seraient étonnés. Car Winston est doué pour la vie ; il a ce don de convertir aussitôt en secousses ses tourments – les pensées chimériques qui parfois l'assaillent ; il s'ingénie à fondre la moindre parcelle de métaphysique dans son petit fourneau brutal et héréditaire ; il ne s'agenouille pas devant la douleur – il n'a pas l'âme d'un catholique ! Il préfère le risque, l'action, la politique. Il aime les réponses. Les réformes. Il a un culte : le réel. Il pivote sur lui-même ; et il piétine, il rue, il arrache sa longe, il détale comme un cheval fou, intact, invulnérable tout en se sachant mortel. Lui-même se voit plutôt comme un taureau aveuglé par la lumière et vacillant sur un fil.

Ses nuits ne sont pas calmes. Tout se fait par brigue et par cabale dans ce monde, oui mais d'abord en lui, par une sommation impérieuse, un coup de cravache, qu'il subit comme un ultimatum vital et qui le délivre de la contrainte de n'être que soi. Le général Kitchener a été nommé *sirdar*, commandant en chef de l'armée anglaise d'Égypte ; il est au Soudan, ce qui empêche Winston de dormir. C'est là qu'il faut, qu'il veut être, c'est là que la terre va trembler ; il le sait, il le sent. Winston ne songe plus qu'à ça : obtenir sa mutation en Haute-Égypte. Par tous les moyens.

Sa défaite aux élections à Oldham a été plus qu'honorable – quelle chance avait-il d'être élu dans un district ouvrier du Lancashire ! – mais son livre, *The Story of the Malakand Field Force,* est un véritable succès populaire, ce qui le surprend lui-même ; il faut profiter de la vague. Le prince de Galles, qui l'a lu avec bonheur, le lui a écrit de sa main et l'encourage à aller de l'avant : « Je ne peux m'empêcher de penser, mon cher Winston, qu'une vie parlementaire et littéraire est ce qui vous conviendrait le mieux. » C'est gentil. La presse l'encense, même si on ne se prive pas, ici ou là, de l'accuser de démagogie ; son impertinence irrite mais on ne parle que de lui dans les couloirs du Parlement et dans les salons londoniens, c'était son but ; on le traite donc d'ambitieux ; on lui promet une belle carrière d'agitateur et un avenir dans la publicité.

La belle affaire ! Il faut bien que le pays sache qu'il existe ! Il faut que son nom retentisse ; il faut qu'on s'habitue à l'entendre, de gré ou de force, il faut qu'on se plie à son désir, qu'on le calme, qu'on le contente. Est-il trop franc ou trop brutal ?... Que cela puisse offenser ou déplaire, c'est bien le moins ; qu'une minorité de ses contemporains se montre hostile et jalouse, c'est le prix à payer. Le silence serait pire. Ce qui compte, c'est de provoquer une réaction. Sa stratégie est arrêtée, et c'est la bonne, rien ne l'en fera dévier.

Dans le tréfonds de son cœur, Winston n'a pas oublié les bulletins scolaires calamiteux qui jadis lui gâchaient ses retrouvailles familiales et ses vacances. Pour la première fois, il se sent un peu fier : il a obtenu une bonne note. Si vous avez des ennemis, cela prouve que vous avez le courage de défendre votre point de vue, c'est tout. Il a souffert d'avoir été trop longtemps invisible auprès de ceux qu'il aimait ; il prend, froidement, sa revanche. Ce n'est qu'un début.

Kitchener, lui, a détesté son livre. *A disgrace !* Pour qui se prend-il, ce jean-foutre, ce petit lieutenant aux dents longues, ce pistonné, qui se permet de faire la leçon aux anciens ! Jennie a beau intriguer au War Office pour que Winston soit envoyé en Égypte, Kitchener est inflexible. Il repousse poliment toutes les lettres, toutes les manœuvres de la belle. Ah ça ! mais !... Jennie déteste qu'on lui résiste : elle décide de se rendre en personne au Caire et de circonvenir le récalcitrant. Elle emporte ses parfums, ses boîtes à chapeaux, ses colliers, ses bagues, ses robes du soir, ses volières, outre sa camériste – une sainte ! – et son amant de l'heure, le major Ramsden ; et elle pose ses bagages à l'hôtel Continental, sur les bords du Nil. Une fois sur place, elle harcèle de lettres Kitchener qui finit par céder de guerre lasse et lui accorde enfin un rendez-vous. En pure perte. Le *sirdar* n'est pas fou des veuves joyeuses en général, ni des dames en particulier ; il se contente de caresser sa moustache et, c'est à peine croyable, il reste de marbre devant Jennie.

De son côté, Winston ne demeure pas inactif – l'est-il jamais ? Il quitte Bombay le 18 juin (1898) et, dès son arrivée à Londres, assiège à son tour les bureaux du War Office. Le temps presse, l'offensive de Kitchener est programmée début août. Une fois de plus, il a de la chance : alors qu'il désespère d'obtenir satisfaction, il reçoit inopinément une lettre à en-tête du secrétariat privé du Premier ministre. Salisbury en personne veut le rencontrer. Lui aussi, il a lu *Malakand* et souhaiterait vivement en parler avec l'auteur. À la bonne heure ! Salisbury le reçoit avec courtoisie, félicite le jeune homme de son style et lui offre son amitié : « J'ai bien connu votre père, vous savez. Je ne savais pas qu'il avait un fils, c'est étrange, il ne m'a jamais parlé de vous... Si d'aventure il y a quoi que ce soit que je puisse faire pour vous être agréable, ne manquez pas, s'il vous plaît, de m'en informer, jeune homme. » Ce perfide est l'instigateur de la chute de lord Randolph, ce qui

99

ne l'empêche pas d'être un homme délicat : s'il devait tuer un mime, il utiliserait un silencieux. Chez les Salisbury, on s'adapte, on a l'art de durer, on est au service de Sa Majesté depuis le règne d'Élisabeth.

On doit reconnaître à Winston ce talent : il excelle à battre le fer tant qu'il est chaud. À peine rentré chez lui, à Mayfair, il écrit de sa plus belle plume à lord Salisbury ; il allègue son ardeur patriotique, sa fidélité à l'empire et sa passion de l'Égypte, et sollicite sa haute bienveillance tout en lui promettant, comme pour le rassurer, qu'il ne restera pas longtemps dans l'armée. Le consul général en Égypte, lord Cromer, est discrètement alerté. Par chance, un jeune officier de cavalerie du 21e lanciers a eu la bonne idée de mourir. La place est libre. Mis devant le fait accompli, Kitchener hausse les épaules, il a d'autres chats à fouetter. Winston est parvenu à ses fins. Nommé lieutenant supplétif au 21e lanciers, il doit se présenter devant le colonel de son nouveau régiment, à la caserne Abbasiya, au Caire, dans les plus brefs délais.

On lui apprend qu'il doit voyager à ses frais, ce qui ne le soucie guère, et à ses risques et périls ; l'armée décline toute responsabilité en cas d'invalidité ou de décès, ce qui n'a à ses yeux aucune importance. Winston emprunte aussitôt, disons quatre mille cinq cents livres à 4 % à la Norwich Union par l'entremise de son notaire, Lumley & Lumley. Le *Morning Post* lui propose quinze livres pour chaque article envoyé du front. Affaire conclue !

Que sait-il de l'Égypte, hormis ce qu'en disent sottement les journaux ? Et que diable les Anglais vont-ils faire là-bas ? Comme d'habitude, il s'agit de conserver à l'Angleterre son rang, de défendre la reine et de sauvegarder l'empire, c'est-à-dire de protéger la route des Indes. *Anything else ?*… Personne dans le pays n'a oublié la fin tragique de Chinese Gordon, treize ans plus tôt à Khartoum, tué en héros, les armes à la main, par les « hordes de derviches fanatiques » du Mahdi. Aujourd'hui, le Mahdi est mort mais son successeur, le jeune calife Abdullah ibn Mohammed, a repris les armes et décrété, paraît-il, la guerre sainte contre les Occidentaux. Une nouvelle croisade ? C'est excitant. Des bandes armées menacent le sud et l'est de l'Égypte, il faut sévir. À dire vrai, depuis l'incident de Fachoda, le véritable ennemi de l'Angleterre là-bas, c'est la France, mais c'est une autre histoire… Retranché dans le sud, près d'Omdurman, élevée au rang de ville sainte par les mahdistes, avec soixante mille hommes, le calife attend Kitchener de pied ferme. Qui croit-il être ? Soliman ? Un nouveau Prophète ?… À ses yeux, les Anglais ne sont que des *kafirs,* des chiens de paille, des mécréants.

Winston n'a pas le temps de visiter Le Caire. Ses grands hôtels, ses cafés-concerts et ses mille lupanars, ses rues encombrées de portefaix et de calèches. Ni de prendre le thé avec le khédive – c'est, dit-on, un bon garçon qui lit le *Times* et le *Journal des débats* et qui a abandonné aux étrangers le souci de gouverner l'Égypte. Winston se prépare à un long voyage, en vapeur jusqu'à Wadi Halfa via Assouan, puis par la voie ferrée dans le désert, en remontant le Nil jusqu'à la citadelle d'Omdurman.

Pendant les haltes, sous la tente ou à la belle étoile, sur son lit de camp, Winston s'entraîne à méditer, comme Childe Harold, devant l'amas des siècles. Il se sent brusquement infime. Ce n'est pas son genre, pourtant, de s'égarer dans des songes. Une brève randonnée à dos de chameau jusqu'au temple d'Isis, à Philae, l'enchante. Les crocodiles et les ibis, ces veilleurs sacrés de l'Égypte, se souviennent-ils qu'ils furent des dieux ? Cet enfant qui pisse en toute innocence dans le fleuve n'était-il pas déjà là, il y a six mille ans ? Et ces gazelles qui paissent craintivement sur la rive ? Avant l'Histoire, le Nil impose une première idée du Temps – le temps qui dort, le temps qui règne, et l'Égypte est son rêve. Les

Anglais ont inventé l'imperméable et le cricket ; les Égyptiens sont les inventeurs de l'éternité. Un ruban bleu dans le désert. Pour eux, le Paradis, cela ne pouvait être qu'ici sur terre, au bord de l'eau, jusqu'à la fin des temps. Des champs de blé vert, des dattes, des myriades d'oiseaux. Un éternel été. Ça lui plaît, lui qui doute de l'au-delà. Depuis le bastingage, l'abjecte misère des fellahs prend les couleurs d'une humilité biblique. Au matin, la sonnerie du *bugle* le jette hors de sa rêverie.

Le 27 août, l'armée de Kitchener, enfin rassemblée, s'étire dans la plaine, non loin du Nil blanc, au pied des monts Shabluka, si l'on en croit la carte. La chaleur est aveuglante. On dirait que du plomb fondu ruisselle sous le casque en liège. On s'enfonce dans l'inconnu parmi les pierres et la broussaille. Il écrit à sa mère : « Il y aura bientôt une opération d'envergure, qui peut être très sévère. Il est possible que je sois tué. Mais, si c'est le cas, tu devras t'en remettre aux consolations de la philosophie et songer à la totale insignifiance de tous les êtres humains. Je t'assure pourtant que je ne tremble pas, même si je n'accepte pas la foi chrétienne ou toute autre croyance religieuse. Rien, pas même la certitude de ma perte prochaine, ne me ferait reculer maintenant. » Il ajoute : « J'essaie de me faire affecter

103

dans la cavalerie égyptienne, car tout en étant plus dangereuse, c'est une bien meilleure affaire du point de vue des chances de s'illustrer.» *Will you shut up, Winston!*

Après trois jours d'une longue marche, Winston, envoyé en éclaireur – mais comment faitil pour être toujours aux premières loges? –, entrevoit le dôme argenté du tombeau du Mahdi. Omdurman!

Soudain, les buissons noirs semblent mouvants, la prophétie s'accomplit, la forêt de Birnam marche vers Macbeth... Des ombres prennent forme humaine. Surgis de la blancheur, des sabres et des lances se dessinent sur une crête à l'horizon. Ennemis en vue! Environ quarante mille hommes en armes se profilent au loin. Les soldats de Sa Majesté sont muets d'effroi; ils contemplent, éblouis, ce mirage. Winston est fasciné. Est-ce cet émoi qu'ont ressenti les premiers croisés devant les Maures?

Revenus de leur surprise, les hommes se préparent au combat. Les derviches n'avancent que lentement; le choc n'aura lieu, s'il a lieu, que dans une bonne heure. Du calme! Pas de quoi s'affoler. On a juste le temps de déjeuner sur l'herbe, *chaps*! On étale la nappe sur le sol et on met le couvert avec nonchalance. Verres, couteaux, fourchettes. Sel, poivre, moutarde. Un officier décoiffe une bouteille de champagne et tend une flûte de cristal à Winston. *Cheers !* À Sa Majesté la reine ! On dirait un pique-nique dominical à Ascot ! D'ailleurs, les derviches ont fait demi-tour. Fausse alerte. Il ne se passera rien aujourd'hui. Vont-ils attaquer cette nuit ? Bah ! on verra bien. D'un coup sec, Kitchener fouette l'air de son stick et se retire sous sa tente.

L'affrontement a lieu, tôt le lendemain. Winston s'en souviendra longtemps : « J'ai été heureux ce jour-là. Je ne connais rien de plus amusant que de trotter, à l'aube, à portée de fusil devant l'ennemi. » Comme toujours, il a l'art de résumer.

La lutte est inégale. Les derviches tombent comme des mouches sous les balles dum-dum. Pilonnés par les canonnières postées sur la rive du fleuve, ils subissent des pertes atroces. Se croient-ils encore au Moyen Âge, ces pauvres diables, avec leurs pétoires ? Les obus Howitzer sèment la mort et la consternation dans leurs rangs. Les billes de métal des shrapnels, ce sera pour plus tard, dans le Transvaal et surtout dans la Somme. Mais c'est déjà un joli pudding à la groseille. Une bouillie d'hommes et de chevaux.

Il faut maintenant empêcher leur retraite, poursuivre les fuyards qui tentent de se retrancher dans les maisons d'Omdurman où il serait plus ardu de les déloger. C'est l'affaire de la cavalerie.

Le 21ᵉ lanciers se tient prêt. L'ordre de Kitchener tombe : «*Advance!*», ce qui signifie en langage militaire : «Nettoyez-moi ça !» Winston ne se doute pas qu'il s'apprête à vivre avec le 21ᵉ régiment de lanciers la dernière grande charge de cavalerie de l'histoire militaire britannique.

Les lanciers partent au trot, le torse bombé et le regard fixe, les poings serrés sur les rênes, les deux pouces en l'air comme à la parade. Des coups de feu éclatent. Plusieurs lanciers s'affaissent et chutent lourdement sur le sol. Winston demeure impavide, les joues en feu, le cœur battant. «*Charge!*»... Devant lui, soudain, surgissent du sable trois mille derviches, armés de sabres et de piques, commandés par des émirs à cheval. Une fois de plus, il se singularise : contrairement à ses camarades, il remise sa lame au fourreau – à cause de son épaule – et arme son pistolet, ce qui va le sauver.

Le choc est d'une rare violence. La terre tremble. La terre fume. Quelques lanciers mordent la poussière – «*arse over tip*», cul par-dessus tête, comme au cirque. Les Anglais sabrent la première ligne, puis la seconde qui se disperse comme une volée de perdrix. Trois hommes au visage voilé s'avancent vers lui. Winston tire vers eux au jugé. L'impact des balles soulève le sable. Tout près de lui, un lancier vide les arçons, éventré par un coup de sabre ; un autre, arraché de sa monture et plaqué au sol, est aussitôt égorgé. Un troisième erre, hagard, le visage ensanglanté, et tente de retenir de ses doigts ses intestins qui se répandent sur le sol. On se bouscule, on s'empoigne, on se troue la peau. Winston se démène comme un beau diable. On dirait que la mort l'évite. Le regard de son père pèse sur lui. Il lui sourit. Sa vieille peur l'a quitté.

Soudain, la clameur cesse. C'est fini. C'est une grande victoire... Le sol est jonché de corps. Des corps sans vie – sans leur vie. Des lances brisées. Des casques troués. Des étendards maculés de sang séché. Des cartouchières vides. C'est tout. Le Nil amnésique offre ses rives, ouvertes comme les lèvres d'une plaie. Et puis le vent se lève. Le sable et l'oubli boiront le sang des morts. Déjà, le désert revient. Le pur silence des tombeaux de l'Égypte. L'Union Jack flotte sur les ruines de Khartoum. Chinese Gordon est vengé.

Sur ordre du général Kitchener, la tombe du Mahdi est profanée ; on exhume son corps, on en détache la tête et on brûle les restes du saint. Le *sirdar* se fera faire un encrier de son crâne en souvenir – un romantique, au fond ! Peu après, il sera anobli par la reine. Il l'avait bien mérité.

Après la bataille, cette nuit-là, Winston ne trouve pas le sommeil. À cause des atrocités

107

commises ? Il ne les méconnaît pas, il les déplore. Pour lui, le Mal n'est pas une affaire de morale, c'est un agent actif et un principe éternel qu'il faut se résoudre à combattre s'il menace l'Angleterre, c'est-à-dire l'ordre et la paix mondiale. Ses récits détaillés dans le *Morning Post* font hurler les généraux. Le prince de Galles le réprimande sévèrement, Kitchener est fou de rage. Il n'en a cure, il a acquis le droit de ne pas se taire. D'ailleurs, il ne doute pas que la cause soit juste ; l'Angleterre est dans son droit ; la guerre est cruelle, c'est ainsi ; il croit à l'honneur comme un chevalier ; cette maladie virile, cette écorce de la vertu, il ne s'en guérira pas ; il est anglais, un peu féodal comme l'était Henry V ; il a vaincu les barbares, il est fier de sa race et de son sang, il écrit sur le sujet des absurdités aux accents gothiques qu'il préférera plus tard oublier.

Son père serait-il enfin fier de lui ?

7.

L'or des Boers

Londres-Le Cap-Pretoria, octobre-novembre 1899

Souvenez-vous que je veux mourir en Angleterre. Promettez-moi que vous ferez le nécessaire.

W. C.

Après la première guerre des Boers et la défaite de Majuba, en 1881, Gladstone avait dû concéder une relative indépendance à la République du Transvaal et à l'État libre d'Orange – les deux colonies d'Afrique du Sud, le Natal et Le Cap, demeurant britanniques. Puis on avait trouvé des diamants près de Kimberley. Puis on avait trouvé de l'or au Transvaal...

En 1887, des prospecteurs découvrent le plus gros gisement aurifère du monde, le Witwatersrand, la « Barrière de l'Eau blanche », au sud de Pretoria. Dès lors, c'est la ruée. Le pays connaît un afflux massif d'immigrants étrangers – les Uitlanders *–, en majorité anglais, qui bientôt se croient chez eux, notamment à Johannesburg dont la population explose. Comme le président Kruger refuse catégoriquement de leur accorder des droits civiques, l'Angleterre se sent offensée ; Chamberlain envoie des troupes et lance un* *ultimatum à Kruger qui ne plie pas et se permet même de menacer à son tour les Anglais. Est-il fou ? Il mérite une bonne correction, ce rustre.*

Le 11 octobre 1899, les hostilités sont décla-rées – ce sera la Seconde Guerre des Boers. Trois jours plus tard, Churchill embarque à bord du Dunnottar Castle *avec le corps expéditionnaire commandé par sir Redwers Buller.* Hurrah ! *Les soldats anglais sont fiers de parader dans leur tout nouvel uniforme caca d'oie – qui leur vaudra là-bas leur surnom : les « Khakis ». Une prome-nade de santé, c'est couru, tout sera fini à Noël ! Ils se trompent lourdement. La dernière guerre de Victoria sera la plus meurtrière de toutes. On sous-estime toujours les guerres de paysans.*

Winston rencontre Joe Chamberlain par hasard dans le salon élégant de lady Jeune sur les bords de la Tamise. Par hasard ? Non, puisque c'est un personnage important. Bel homme, au demeu-rant. Monocle vissé sur l'œil, épingle de cravate en diamant, orchidée à la boutonnière, il ne passe pas inaperçu, et il en impose avec un mélange de bonhomie et de cynisme. Son entreprise de quin-caillerie lui a assuré une fortune considérable : pas un seul tournevis dans les Midlands qui ne porte son nom. À Birmingham dont il est le seigneur et maître après en avoir été le *Lord Mayor*, il fait la pluie et le beau temps. À vrai dire, à Londres aussi, il se croit un échevin céleste.

Après avoir échangé des cigares, de quoi parle-t-on ? De l'Afrique du Sud bien sûr. Celui qu'on surnomme « Pushful Joe » est alors secrétaire d'État aux Colonies, ce qui lui confère une séduction suprême aux yeux de Winston. Pour l'heure, il doit régler le nouveau différend qui oppose l'Angleterre et les fermiers hollandais d'Afrique du Sud. Ces gens-là se croient tout permis ! Fin septembre, la guerre semble inévitable avec ces péquenauds insolents et leur république de pacotille, ce n'est plus qu'une question de jours. Chamberlain et sir Alfred Milner, le Haut-Commissaire britannique au Cap, c'est-à-dire le gouverneur de la province, la croient nécessaire : ils font flèche de tout bois à la Chambre et dans la presse nationale pour que leur dessein s'incarne dans un bel élan populaire. Le patriotisme fera le reste. Il s'agit bien sûr de défendre la civilisation, c'est-à-dire de protéger les intérêts économiques de l'Angleterre – les mines d'or et de diamants. De l'impérialisme ? Mais de quoi parlez-vous ? *It's the right thing to do, that's all !*

Winston, qui partage ces vues sans le moindre état d'âme et qui rêve d'en découdre, sera correspondant de guerre pour le *Morning Post* qui lui propose deux cent cinquante livres par mois, plus les frais – une somme ! Comme toujours, il est pistonné. Milner reçoit une lettre d'introduction de Chamberlain qui ne marchande pas ses faveurs au fils de son ami lord Randolph. Grâce à ce protecteur providentiel, Winston sera accueilli comme il se doit. En vérité, Chamberlain saupoudre ses bienfaits d'une pincée de vice. Il recommande le fils de lord Randolph à Milner mais il ajoute : «Ce jeune homme a la réputation d'être prétentieux. Faites-le marcher droit.» Trop aimable, Monsieur le ministre !

Quand les premiers coups de feu éclatent du côté de Kraajpan, Winston fait ses bagages. Ouf ! Cinq malles en fer remplies à ras bord où son valet de chambre, le dévoué Thomas Walden, qui servit autrefois son père, enfourne le strict nécessaire : trente bouteilles de champagne millésimé 1887 – du vin d'Aÿ –, dix-huit bouteilles de saint-émilion, six bouteilles de porto, six de vermouth et six d'eau-de-vie – de la mirabelle, si sa mémoire est bonne, avec un exquis arôme d'amande en fond de bouche. On ne saurait être trop prévoyant. Rien à envier au major Haig dont l'équipage ordinaire au Soudan comprend plusieurs chameaux dont l'un ne transporte que du bordeaux. Il faudra à ce bon Thomas des trésors d'ingéniosité pour caser dans les cantines quelques accessoires utiles en campagne : selle, télescope, boussole, jumelles, cigares évidemment.

Depuis peu, Winston se laisse pousser la moustache. C'est une tentative désespérée. Une erreur. Il se montre très susceptible sur ce point. Lors d'un des nombreux dîners d'adieu en son honneur – il y en aura une dizaine la semaine de son départ –, une amie de sa mère se permet de lui signifier qu'elle n'apprécie ni sa politique ni sa moustache. Winston lui répond, vexé : « Madame, je ne vois aucune raison sur cette terre pour que vous entriez en contact avec l'une ou l'autre. » Sa muflerie triomphale et sa morgue ne lui valent pas que des supporters. Longtemps, Winston fut invisible aux yeux de ceux qu'il aimait. Ses numéros de briseur d'assiettes, ses provocations et ses enfantillages traduisent un besoin éperdu d'exister qu'il satisfait sans modération.

Le 14 octobre 1899 en fin d'après-midi, Winston se présente comme une fleur à l'embarcadère du *Dunnottar Castle* à Southampton. Insouciant et crâneur, il pose sur la coupée avec un camarade, arborant un caban et une casquette blanche de yachtsman. C'est original. La foule est en liesse, il sourit ; mais ce n'est pas lui qu'on acclame, c'est sir Redvers Buller, encore auréolé par sa victoire contre les Zoulous vingt ans plus tôt, escorté de tout son état-major, et qui ignore que, dans quelques semaines, à Colenso, ce sera une autre paire de manches ! En attendant, on chante en chœur : le *Rule Britannia, For He's a Jolly Good Fellow* et le *God Save the Queen.* On agite son mouchoir et on essuie une larme tandis que la corne de brume retentit : « Toot ! »

Que fiche-t-il sur ce bateau ? Pourquoi les Anglais vont-ils se battre en Afrique du Sud ? La cause est-elle juste ? La question effleure à peine Winston. *Right or wrong, my country…* un point c'est tout. Il se souvient vaguement que son père avait acquis des actions dans les mines de Rand qui hélas ont été vendues juste avant sa mort pour couvrir ses dettes. Leur cours avait été aussitôt multiplié par vingt ; aujourd'hui, elles vaudraient cinquante ou soixante fois plus – une fortune. Ce seul fait suffirait à expliquer pourquoi les Anglais veulent mettre la main sur le Natal et le Transvaal. « C'est mon pays que vous voulez ? » ironise le président Kruger.

Winston est enfin au bon endroit, où il faut et quand il faut, c'est ce qui importe. Malgré le succès de Malakand, il a le sentiment de s'être battu dans une guerre obscure, de s'être démené pour des prunes en Afghanistan. Le Soudan ? Oui, c'était bien, le Nil, le désert, le *thrill*, mais c'est Kitchener qui a tiré les marrons du feu et raflé toute la gloire. Cette fois, il compte bien se faire un nom, sauter en pleine lumière, au premier rang. Et retentir d'une façon ou d'une autre jusqu'à Londres. S'il était blessé, ce serait encore mieux. Un œil ? Un bras ? Pourquoi pas ? L'idéal, ce serait une légère claudication empreinte de majesté et de mystère. En attendant, outre le *Post*, toute la presse nationale a envoyé des correspondants sur place. Ça devrait marcher.

Pendant la traversée, pourtant, après l'escale de Madère, le seizième jour, les nouvelles qui leur parviennent sont plutôt sombres. Le major-général Penn Symonds aurait été tué ; Mafeking et Kimberley sont encerclés par les Boers ; le général sir George White a fait retraite à Ladysmith où il est assiégé. À son arrivée au Cap, après une conversation avec le gouverneur, affolé par les pertes déjà subies par l'armée anglaise et la menace qui pèse sur les populations civiles, Winston modère son enthousiasme : « Nous avons gravement sous-estimé la puissance militaire et le courage des Boers. J'ai plus que des doutes quant à la capacité d'un seul corps d'armée à vaincre leur résistance. » D'autant que l'Allemagne de Guillaume II semble donner un sérieux coup de main aux Boers en leur fournissant des armes – *Danke schön, Herr Krupp !* Les

Anglais déchantent. À Londres, Salisbury place toute sa confiance dans Buller, Winston est sceptique. Buller se croit un lion. C'est une mule !

Winston se lie avec le correspondant du *Manchester Guardian*, J. B. Atkins, nullement refroidi par une confidence de son nouvel ami : « Le pire de tout, c'est que mes perspectives de vie ne sont pas bonnes. Mon père est mort trop jeune. Il faut que j'accomplisse tout ce que je peux avant l'âge de quarante ans. » Ainsi soit-il ! Ils décident de se rendre ensemble à Ladysmith, dans le nord-est, via East London et Durban, par le train puis par le bateau, jusqu'à Estcourt. Ce n'est pas un voyage d'agrément. Sur un quai de gare, parmi les soldats blessés, Winston reconnaît son vieux camarade Reggie Barnes, sévèrement amoché au visage : sa compagnie a été taillée en pièces dans l'attaque d'une colline à Elandslaagte, son colonel est mort sous ses yeux. Les Boers sont des durs à cuire. « Ce qui leur pend au nez, c'est une bonne rouste ! C'est ce qu'ils disaient à Londres, hein ! N'en crois pas un mot ! Ces sauvages se battront jusqu'au bout. Ah ! on est frais, je te jure ! » Winston est consterné. Pendant que Walden, son valet de chambre, allume un feu et dresse la tente pour la nuit, il se demande bien ce qu'il va écrire dans son article.

Au matin, il fouine au quartier général en

quête d'informations quand un homme lui tape sur l'épaule : «*Hello, old chap!*» C'est le capitaine Aylmer Haldane, une vieille connaissance des Indes, un joueur de polo comme lui. À la tête de deux compagnies, Haldane part le lendemain en mission de reconnaissance dans le nord, en territoire ennemi; il invite Winston à se joindre à eux. À bord d'un train blindé? Oui, c'est une sorte de cercueil en fer tiré par une locomotive. Le dernier cri en matière d'armement. C'est tentant – stupide mais tentant. En route!

Quelle belle journée! Pas un nuage dans le ciel. Du haut d'une colline, le général Louis Botha observe à la lorgnette le lourd convoi qui s'approche à toute vapeur dans sa direction. Quand, au détour d'un virage, les blocs de rocher qui obstruent la voie auront fait dérailler le train, ce gros mille-pattes sera écrasé par ses artilleurs. Un jeu d'enfant. Les « Khakis» vont cramer dans leur tas de ferraille comme des rats et, s'ils veulent s'échapper, les tireurs couchés, tapis en embuscade dans les buissons, n'auront plus qu'à les dégommer comme des pipes. Pour finir, la cavalerie fera le ménage, si nécessaire. Bonne chance! *God save the queen, boys!*

Deux obus suffisent à couper le train en deux. À bord, c'est la panique. Les hommes sont jetés à la renverse, les blessés hurlent. L'un crie :

119

« Maman ! » Winston est indemne, il se relève, tout étourdi. La situation est critique. Si la locomotive est restée debout sur les rails, les trois premiers wagons sont sur le flanc. Immobilisés sous le feu ennemi, les soldats de Sa Majesté sont une proie facile. Les balles sifflent, Winston ferme les yeux – il raffole de cette musique, si douce à ses oreilles, « *the soft kisses of bullets* »… La seule issue, songe Haldane, ce serait de faire machine arrière, utiliser la locomotive comme un bélier et tamponner les wagons accidentés hors de la voie. Y a-t-il des volontaires ? On ne se bouscule pas. Winston se propose. Il convainc le mécanicien terrorisé d'exécuter la manœuvre.

Trop tard ! Ils sont encerclés et doivent lâcher leurs armes. Winston se souvient d'un mot de Napoléon : « Quand on est seul et désarmé, on a le droit de se rendre. » Il n'est pas fier. En tant que civil, pris les armes à la main, il risque d'être fusillé sur-le-champ. Mais son étoile veille : un officier le reconnaît. « Ça alors ! Ce n'est pas tous les jours qu'on capture un fils de lord ! » Jolie prise de guerre. Après trois jours de marche, conduits et parqués comme du bétail, les vaincus sont internés dans un camp de prisonniers, non loin de Pretoria.

Certains soldats sont en larmes, les officiers sont accablés. Winston, lui, enrage. Il n'avait plus ressenti cela depuis ses années de collège. La prison ! Ce qu'il redoute, d'ailleurs, ce ne sont ni les privations, ni l'isolement, ni les châtiments, c'est l'inaction. Il craint que sa captivité ne réveille le Chien noir… Aussi décide-t-il de s'évader. Une cavale de trois cent cinquante kilomètres digne d'un roman de Stevenson. Sa tête est mise à prix. Il ne s'interdit pas de jouir obscurément d'être un fugitif. Un séjour dans une cave à charbon lui révèle son accointance avec les rats. Il se sent toujours mieux quand son cœur bat plus vite. Encore une fois, il s'en sort, d'un cheveu. À Londres, il devient un héros.

8.

Un après-midi à Westminster

Londres, février 1901

On gouverne un État comme on fait frire un petit poisson.

Lao-tseu

Après cinq ans d'absence, un peu fatigué des voyages – un périple aventureux de plus de quatre-vingt-quinze mille kilomètres –, Winston est de retour à Londres. Toutes ces années n'ont été qu'un prélude ; il a mené sa vie au galop, à bride abattue. Et maintenant, quoi ? Il a vingt-sept ans. N'est-il pas temps de grandir, my dear boy ?... C'est ce que lui dirait son père, mort depuis six ans déjà, définitivement sourd à ses désirs, dédaigneux de ses capacités, et qui méprisait ses désarrois comme il aurait méprisé ses prouesses. Winston est sans ressort devant les objurgations muettes de ce fantôme qui, depuis toujours, le surveille de haut, de loin, et qui le somme de s'élever, d'agir, de parvenir, bref, de réformer sa conduite. Et son orthographe !

Au vrai, s'il n'a pas réussi à épater son père, il ne croit pas non plus possible de l'égaler. Il se sent fils d'un roi, orphelin comme Hamlet, enclin à l'ivresse par dégoût. Adolescent, il enviait jusqu'à l'épaisse moustache qui ornait les lèvres du patriarche, lui qui n'a pas un poil sur le menton. Une peau de bébé, des joues lisses et désespérément glabres, le cheveu rare et roux, pouah! Est-il seulement imaginable, en ce temps-là, de devenir ministre sans cet attribut viril? En attendant, Winston est las de courir la poste. Il croit assez en lui-même mais il ne sait pas encore quelle sera sa carrière – ou son destin. La politique, mmh! est aussi exaltante que la guerre et tout aussi dangereuse. Peut-être le temps est-il venu de… ou peut-être est-il encore trop tôt?… « If it be now, 'tis not to come. If it be not to come, it will be now. If it be not now, yet it will come – the readiness is all. Since no man of aught he leaves knows, what is't to leave betimes? Let be[1]…»

Une pile de courrier et de journaux encombre le corridor de l'appartement de Mayfair que lui

---

1. «Si c'est maintenant, ce n'est plus à venir. Si ce n'est plus à venir, c'est maintenant. Et si ce n'est pas maintenant, tôt ou tard, cela sera – le tout est d'être prêt. Puisqu'on ne sait rien de ce qu'on quitte, que nous importe de partir avant l'heure? Que cela soit…» (*Hamlet*, acte V, scène 2).

prête aimablement son cousin Sunny. Winston aspire à la paresse, au loisir profond sous un ciel anglais ; il est curieux de ses retrouvailles avec l'herbe verte, les pubs noirs et rouges, les longs dimanches vides ; il est avide de chuchotements, content de renouer avec des odeurs et des bruits oubliés – le chant des merles, les arpèges de la pluie sur les vitres, le craquement des bûches dans la cheminée. Cela fait belle lurette qu'il n'a pas dormi deux soirs dans le même lit et respiré, ah !... cette odeur de lait et de lavande moisie qu'ont les draps dans ce pays.

Ce seront de brèves vacances. Quatre jours plus tard, Winston assiste à la séance d'ouverture du Parlement en présence du nouveau roi Édouard, en diadème et cape d'hermine. Il va délivrer son *maiden speech*, son premier discours à la Chambre, ce qui ne l'impressionne guère, mais il y aura aussi sa mère dans le public et, cela, il a beau s'en défendre, lui fait battre le cœur plus vite. Il devra surtout convaincre ses aînés, les meilleurs orateurs du royaume, l'impavide Arthur Balfour, drapé dans sa morgue de patricien, et, sur les bancs de l'opposition, Herbert Asquith, lèvres pincées, le cheveu argenté d'un joli coup de gouache, toujours prompt à assommer son contradicteur – ses propres amis, les libéraux, l'ont surnommé le « marteau de forge » !

Ça ne lui fait pas peur, à Winston. Lui aussi se sent une vocation au combat, avec une aptitude à tirer son épingle du jeu.

Après la reine, après son père, la Chambre des communes est ce qu'il respecte et redoute le plus au monde. Il veut être au centre de l'arène mais il vit obscurément dans la crainte d'être écarté, puni, mis au coin. C'est dans cette lice, bourdonnante de passions, qu'il faut prouver sa valeur. Il en aime le faste et la comédie ; les huées et les ovations soudaines le grisent. On vous salue comme un dieu le matin, au soir vous êtes proscrit. Il suffit parfois d'un mot pour que la meute soit à vos trousses et vous déchire à belles dents. Au fond, c'est toujours pareil, ce qui l'ébranle et lui fouette le sang, c'est la trouille – la trouille dominée. Oui, le *thrill* !

Westminster, oui vraiment, il adore cet endroit... Cet ancien palais royal n'est pas seulement le siège du Parlement britannique, c'est aussi un grand hôtel, et l'un des plus confortables. Restaurants, bars, fumoirs, salons particuliers, cabinets de lecture, salles de bains et de massage, salons de coiffure, gymnase ! À l'heure d'un scrutin parlementaire, il n'est pas rare de croiser dans les couloirs un honorable collègue en pantoufles et en peignoir de soie, les joues couvertes de savon à barbe – le vote par procuration n'existe pas.

Winston a jusqu'ici prouvé qu'il excellait dans l'action et qu'il savait devant un auditoire varié extraire de ses aventures un récit pittoresque – c'est un conférencier habile et un conteur-né ; il lui reste à démontrer qu'il sait aussi argumenter, expliquer, requérir. Il ne s'agit plus de séduire le grand public, il faut convaincre ses pairs. Winston est un autodidacte ; il a été son propre maître, d'armes et d'école ; il a appris de ses erreurs. Sauf que, cette fois, le défi est de taille : il aime l'histoire mais il ignore le droit ; il a le sens de la repartie mais il manque d'expérience ; il sait se faire écouter mais il a parfois un bœuf sur la langue, il bute sur certains mots qui se mettent à siffler bizarrement – il a un problème avec les « s ». On dirait qu'il crache un pépin. Aussitôt, si on sourit, il s'impatiente, ce qui n'arrange rien. Devant une assemblée de juristes et de diplomates, animaux à sang froid, plus hargneux qu'une horde de Zoulous, c'est un lourd handicap. Sans oublier ces messieurs du *Daily Telegraph* et du *Daily Express*, à l'affût d'un faux pas, et toujours prêts à mordre.

Winston, sous son allure cavalière, ne sous-estime pas la difficulté. Il a consulté le laryngologiste sir Felix Semon, un ponte, afin d'améliorer son élocution. Ce chevau-léger est un percheron. On le croit frivole, touche-à-tout, désinvolte ; c'est un animal de labour, opiniâtre, voué à l'effort. Il ignore le repos ; il peine, il sue, il pioche, sans relâche. Pendant des heures, il répète devant la glace en serrant les poings et les dents ; il noircit des carnets entiers de notes ; il comble ses lacunes. Mi-romain, mi-sybarite, il travaille d'arrache-pied la nuit et le jour, il chiade dans sa baignoire ou dans son lit, en caleçon de soie ou en robe de chambre, et s'endort sur le tapis à l'aube, avec une encyclopédie en guise d'oreiller.

Winston a une excellente mémoire. Il lui suffit de lire un texte une fois pour qu'il s'imprime dans sa tête. Il aime les mots ordinaires, les phrases simples. Lui si récalcitrant à l'étude, il n'a jamais oublié les leçons de Mr. Somerwell, son vieux maître, grammairien obscur et déconsidéré : «À Harrow, il avait pour tâche d'enseigner aux élèves les plus stupides la matière la plus méprisée : comment écrire l'anglais, tout simplement. Il avait l'art et la manière ; il l'enseignait comme personne ne l'a jamais enseignée... C'est grâce à lui que j'ai assimilé la structure de base de la phrase anglaise, qui est une noble chose.» Lui qui exécrait Pline et Juvénal, il s'amuse à décocher les citations latines comme des flèches.

Les mots doivent être non pas un obstacle mais un chemin, une brèche ; il faut faire de la langue anglaise une amie, une complice, une alliée. Ce qui compte, ce sont les images et le rythme qui font avaler à l'auditeur la complexité déraisonnable des choses.

Enfin, il est l'heure, le rideau se lève. Ce 18 février, Balfour et Asquith, deux hérons en redingote, sont déjà assis à leur place, la salle se remplit de parlementaires en cravate et col dur. Là-haut, au balcon, les visiteurs jouent des coudes pour accéder au premier rang. Le fils de « Randy » va prononcer son premier discours devant le Parlement. Comme il est pâle ! Jennie est là – le bleu lui va bien.

Quel silence ! Son nom retentit. Il n'est pas le *Speaker* mais c'est lui qui va parler. C'est son tour. Maintenant ! Winston s'éperonne. Il se jette, c'est ce qu'il fait le mieux. Dans l'action, ce qui domine, c'est l'oubli de soi, qui est la forme la plus légère du bonheur, une indifférence à la vie comme à la mort, une sorte de mépris suprême qui éteint tout le reste, comme la volupté. Agir, c'est faire ce qu'on veut et, par là, s'affranchir de la peur, du dégoût, de l'ennui, être libre en somme. L'amour n'ignore pas le calcul là où, au contraire, l'action est d'instinct. Le résultat en est tout aussi imprévisible. C'est une soumission de l'âme tout entière, une passion où le corps même commande. Qui est le sujet de l'action quand le cavalier – ou l'orateur – s'élance, l'écume aux lèvres, parmi les éclats d'obus et les balles de l'ennemi ? Sous le feu adverse, bravant le destin, Winston a souvent ressenti, au-delà de l'ivresse, qu'il était enfin délivré de lui-même, poussé hors de soi, comme un dieu – hurlant, béat, invincible...

Son sujet, c'est la guerre des Boers qui s'éternise. Winston se fait un devoir de saluer les vertus de ce petit peuple rude et volontaire. Sans doute les Boers sont-ils têtus au-delà de ce qu'on peut imaginer, ce qui n'est pas pour lui déplaire, mais ils sont courageux. Ce sont des soldats-paysans que leurs chefs mènent à la cravache et au fouet, comme des bêtes, car ils manquent de discipline mais ce sont des tireurs hors pair. Ils excellent à défendre une position ; ils sont redoutables quand ils sont embusqués, ils attendent l'ennemi sans broncher jusqu'à ce qu'on commande le feu. Alors, ils tirent à coup sûr et règlent leur tir à volonté en calculant à chaque fois la portée. Ils sont plus faibles dans l'attaque. Ils sont facilement désorientés au cours d'un assaut et se débandent facilement.

Ils se feront tuer jusqu'au dernier en se défendant mais ils répugnent à se mettre à découvert, même quand ils ont le dessus. Plusieurs fois, ils ont eu l'occasion d'écraser l'armée anglaise qui battait en retraite ; ils n'ont pas bougé, trop contents d'avoir repoussé l'attaque. Ils ont d'admirables qualités de loyauté et de résistance mais ils sont incapables d'initiative et manquent d'audace. Il faut savoir être impitoyable dans la guerre et magnanime dans la paix, clame Winston. La Chambre murmure. D'ailleurs, s'il était né en Afrique du Sud, il serait du côté des Boers ! La Chambre hurle. Winston respire avec volupté les insultes et les huées qu'il suscite dans cette vénérable enceinte.

En quelques mois, il a subi une mue. Il sait que son caractère le hisse à la hauteur de l'occasion, des circonstances – le caractère, c'est le destin. Et que celles-ci ne sont qu'une étape sur on ne sait quelle voie menant plus loin et plus haut. Les défaites ne l'affligent pas longtemps, elles ne l'affectent que comme un excitant. Et les victoires, pas du tout. C'est le retour bête des choses. Ce qui le rend furieusement léger et divinement indifférent à tout ce qui arrive. Son réalisme est d'instinct, sa mécréance, naturelle.

La politique... C'est une comédie des erreurs. Entre des mensonges salutaires et des vérités innommables, il faut trouver un juste milieu. Il n'est ni hypocrite ni cynique – il est seulement capable, en certains endroits de la pensée, d'une mauvaise foi intime et inébranlable. C'est sa raison d'État.

Méprisé par son père, il a longtemps pensé qu'il n'aurait pas les moyens de son ambition. Il devine aujourd'hui que ses moyens sont parfois au-dessus de ses ambitions, ce qui est une autre forme d'impuissance. Il se désespère toujours de ne pas réussir à imposer une idée – la sienne –, ne doutant pas d'avoir raison contre l'avis de tous. En même temps, toute idée partagée le dégoûte un peu. Il sent qu'elle n'est plus vraie. Il n'est démocrate que par défaut, parce que c'est plus convenable. Cette rage éphémère d'impuissance ne le quittera jamais.

Il y a en lui, sous une éclatante vitalité, quelque chose de terriblement sombre et d'amer, à quoi il lui faut résister ou consentir, il ne sait. Et si c'était là sa vérité ? Il a parfois le sentiment d'être tombé dans une trappe, d'avoir cru et d'avoir été joué, d'être voué à une fureur désarmante, à la dérision totale, à une puissance barbare et inflexible qui donne et qui retient, qui engage et qui abandonne, qui promet et qui trahit, et qui lui inflige de surcroît l'envie, la honte de se plaindre. Quand la dépression le rattrape, il se débat en vain, il s'effondre, il voudrait quitter le jeu, une fois pour toutes. Puis il se relève.

Il se défie de tout ce qui, en lui, est mélange désordonné d'animal et d'ange. Il aime les deux, séparément.

9.

Lord Byron et le fantôme
(Oh Daddy, oh !)

Londres, été 1905

Il y avait dans mon cœur, mon cher, une sorte
de débat qui ne me laissait pas dormir.

Hamlet, acte V, scène 2

C'est un aveu qui lui coûte : « *Il ne m'écou-*
tait jamais. Aucune camaraderie n'était possible
avec lui, malgré tous mes efforts. Il me traitait
comme un idiot ; il aboyait dès que je lui posais
une question. Je dois tout à ma mère, rien à mon
père », écrit Winston. Vraiment ? Et si c'était
le contraire ? Et si, de cette absence d'amour,
Winston avait conservé une traînée éblouissante,
une empreinte indélébile dans le cœur ? Tandis
que sa mère brille à ses yeux, lointaine « comme
l'étoile du soir », l'ombre du père mort n'a cessé
de grandir et d'orienter obscurément sa vie.

Winston n'a que vingt et un ans quand, le 24
janvier 1895, lord Randolph meurt des suites de
la syphilis contractée dès avant son mariage,
après une longue descente aux enfers. Mort
honteuse, prématurée, brutale, qui laisse Winston inconsolé et plonge la famille dans la gêne.
Il rêvait de ferrailler au Parlement à ses côtés.

Il se sent trahi, abandonné. Longtemps, cet abandon l'écrase ; il ne se pardonne pas ce faux bond de la destinée, comme si cette mort soudaine l'empêchait durablement de se réconcilier avec lui-même. Comme si c'était sa faute à lui, et sa punition. Winston n'a plus qu'à prêcher dans le désert. Lord Randolph disparu, il ne lui reste qu'à défendre sa mémoire et à accomplir sa tâche. Winston relève le gant paternel.

Cette vaillance éperdue qui sera le mirage de sa jeunesse, la forme même de son ambition, ne traduit qu'un souci de briller aux yeux d'un père à jamais aveugle. Longtemps, sous la noblesse désespérée d'un silence qui se mue en dévotion secrète, avec un mélange de pitié et d'envie, Winston ne voudra que l'imiter. Et jusqu'à la fin, il se sentira surveillé, assujetti à ce funeste ombrage, comme si, outre le Chien noir de la lignée des Marlborough, le procureur de son enfance était toujours agrippé à son épaule. Dix ans après sa mort, il lui consacre un livre : c'est une vie de saint.

Avec le deuil – orphelin et roi, c'est tout un – affleure une question un peu vaine qui attend sa réponse, mais il faut toute une vie pour la trouver : qu'est-ce qu'un grand homme ?

140

Grandir, il a appris, tout seul. On s'élève, on tombe, on se relève, on retombe, car à la fin tout retombe. Au fil du temps, quelque chose se sépare de nous, quelque chose nous quitte. Nous prenons la place de nos pères, nous marchons dans leurs pas. Ce n'est pas sans péril. Dans certaines espèces, l'ours noir (*Ursus americanus*) par exemple, et chez les dieux, les pères mangent les fils. Le sien fut le seul homme qu'il ait vraiment admiré et craint.

Lord Randolph n'avait jamais compris les colères de cet enfant qui l'aimait, il ne l'avait jamais vraiment *vu*. Ce regard si lointain, si dur parfois, qu'il avait... Longtemps, Winston n'a voulu exister que dans ce regard qui contenait, envers et contre tout, la promesse d'un monde où il serait choisi, aimé, admiré, à condition d'en être digne. Mais qui est digne d'être aimé ? Pas lui, pas Winston !

Au lieu d'encourager son fils, lord Randolph n'a cessé de le rabaisser. Ses lettres intimes sont presque toujours humiliantes : « Comme tu es stupide, Winston, de ne pas t'en tenir à "Mon cher père", et d'en revenir à "Mon cher papa". C'est une imbécillité. » Ou encore : « Ce que tu écris, mon pauvre Winston, est stupide. Je te renverrai ta lettre pour que tu puisses de temps à autre revoir ton style pédant d'écolier attardé. »

À sa propre mère, la vieille duchesse Fanny, la grand-mère du petit, lord Randolph écrit : « Je vous l'ai souvent dit, Winston ne peut guère prétendre posséder d'intelligence, de connaissances, ou une quelconque aptitude à fournir un travail régulier. » Bref, quoi qu'il fasse, Winston ne récolte de la bouche de son père qu'une condamnation définitive et sans remède.

C'est un conte scandinave. Une vision d'effroi. L'humaine méchanceté rôde sous les tentures, le mal court sous les napperons et les potiches chinoises du salon victorien. Pas un bruit. Les dames brodent, les bonnes cousent, les enfants sages font leurs devoirs à la clarté des lampes. Pas Winston qui, seul dans le noir, mérite d'être grondé. Rien de grave... Mais comment nommer les silences prolongés de la haine ? Il faudrait pour cela recruter un rôdeur de limites, un voyant, un obscur, par exemple le poète William Blake (1757-1827), auteur d'un furieux poème – en forme de prière à Dieu – intitulé *To Nobodaddy (Papa-personne)* :

> *Why art thou silent & invisible*
> *Father of jealousy*
> *Why dost thou hide thyself in clouds*
> *From every searching Eye*

Why darkness & obscurity
In all thy words & laws
That none dare eat the fruit but from
The wily serpents jaws
Or is it because Secresy
Gains females loud applause[1].

Il y a de cela, entre eux : une terreur néfaste. Le fils contemple le père comme un dieu jaloux, avec la grimace effarée d'un satyre de bas-relief devant l'œil du Cyclope. Winston et lord Randolph connaissaient-ils cette amère oraison ? Sans doute pas.

Affamé de sa bienveillance, l'interrogeant de ses ferveurs muettes, Winston a tout tenté, petit, pour lui ressembler, et pour lui plaire. Ce mimétisme enfantin persistera jusque dans son âge mûr. Ce qu'il redoutait surtout, ce qu'il voulait éviter à tout prix, c'était ses reproches, son courroux – le souvenir de sa voix, des années plus tard, suscite encore la brûlure et l'effroi d'un

---

1. « Pourquoi demeures-tu muet et invisible/ Père de la jalousie/ Pourquoi te caches-tu dans les nuages/ À l'abri de tout regard/ Pourquoi cette obscure noirceur/ Dans chacun de tes mots et chacune de tes lois/ Au point que nul n'ose manger le fruit/ Si ce n'est dans la bouche du serpent malin/ Ou bien est-ce parce que le Secret/ Te vaut les acclamations des femmes. »

châtiment corporel. « Si d'aventure, confie Winston, je faisais mine de suggérer qu'une camaraderie pouvait naître entre nous, il s'en montrait immédiatement offensé. Et lorsqu'un jour je lui proposais d'aider son secrétaire particulier à rédiger certaines de ses lettres, il me lança un regard qui me pétrifia. » Winston n'est qu'un bon à rien.

Lord Randolph ne supporte pas les bons à rien et, à l'en croire, ils sont légion. C'est d'abord un homme public, soucieux de sa carrière et fier de sa lignée, comme son père, John Winston, le septième duc de Marlborough, qui fut vice-roi d'Irlande. À neuf ans, Winston lit tous les articles qui lui sont consacrés dans les journaux, il apprend ses discours par cœur. Parfois, il voudrait mourir pourvu que son père le sache et qu'il le remarque enfin. Plus tard, il fera tout pour cela, bravant les balles des Boers et les sabres des derviches, dans une attitude de défi perpétuel. Jusqu'à sa mort, Winston sera obsédé par le sentiment d'une faute inhérente et vague. Un manquement impardonné. Une défaillance impardonnable. À qui se confesser ? À qui ? Et de quelle faute, mon Dieu ?

« On aurait dit un étranger, un intrus, et sous son allure seigneuriale, un parvenu ; il avait l'air d'un mutin prêt à flétrir les élites, à fustiger les chefs vénérables et à braver leur autorité. Et cela, avec un mélange d'insolence patricienne et de brutalité démocratique...» De qui parle-t-il? Est-ce de son père dont il entreprend d'écrire la biographie dix ans après sa mort? Ou de lui-même? À moins que l'exercice – obscur, douloureux, salutaire – auquel il se livre en mille pages denses et ardues consiste précisément à approfondir leur ressemblance, leur lien – subi ou rêvé.

Quelle est sa part de l'héritage? Quelle est sa malédiction – ou sa dette? À travers l'exemple de son père, Winston tente de s'élucider. Il s'exerce comme un lutteur à affronter un adversaire invisible. Il ne peut s'empêcher d'exhausser ce qu'il touche, et de transformer en geste héroïque la carrière brisée de lord Randolph, ce météore, ce héros vaincu par les forces de la réaction et les intérêts égoïstes. Il ne lui échappe pas que son père est une figure tragique. Un mauvais sujet – ça, non, il ne peut l'admettre! Qu'il ait rendu malheureux les siens, quelle importance? Sa déchéance et sa fin le hantent. Et plus encore l'absence d'un commencement.

À la fin de l'été 1905, Winston a presque achevé son travail – *a labour of love*. L'éditeur Macmillan en a acquis les droits pour la coquette somme de huit mille livres. Il est épuisé. Au-delà de l'éloge, un peu forcé, de l'œuvre de son père, il entrevoit peut-être une politique de soi. Pour devenir roi, il faut être orphelin, cela devient un leitmotiv. Winston s'accepte enfin. Il n'a pas vaincu l'ogre mais il aperçoit la lumière au bout de sa nuit, il sort de la forêt obscure. Son père ne l'a pas reconnu ; lui, Winston, il le fait sien, il l'adopte. Cette *chose*, il fallait qu'il la remâche, et qu'il en recrache le noyau pour ne pas étouffer. C'est une épreuve, un combat à outrance, qui le vide de ses forces physiques et nerveuses.

Mais de quoi était-il si fier ? Qui était ce personnage faramineux et décevant ?

Les amis de lord Randolph gardent le souvenir d'un homme spirituel, éloquent, passionné. Un jour, tandis que Winston travaille à sa biographie, il reçoit la visite de Wilfrid Scawen Blunt, un vieil ami de la famille – encore un ! Wilfrid Scawen Blunt. Poète et aventurier, diplomate en peau de lapin et bohème en diable, avec la barbe celte et la chevelure d'Ossian, Blunt a épousé lady Annabella Noel, la petite-fille de Byron, et vécu en Orient, à Constantinople et au Caire, où il a bien connu lord Randolph. Il avoue avoir été séduit à l'époque par le côté fantasque, «byronien», du personnage, ce qui enchante Winston, d'autant plus flatté que Blunt souligne des similitudes entre le père et le fils. Pas physiquement, bien sûr. Dans la façon de parler, dans l'allure, dans la manière – dans l'*attegiamento* !

Mais Randy pouvait être aussi emporté,

146

lunatique, cassant. Il avait un grain. Du
« charme », corrigeait Jennie devant ses détracteurs. Il avait surtout la passion de la politique.
Conservateur, il entre à la Chambre des communes en 1874, l'année même de la naissance
de son fils. Député à vingt-cinq ans, il s'impose
rapidement par sa clarté, sa vision, son acuité
intellectuelle ; il passe au sein de son propre parti
pour un homme nouveau, un rénovateur, soucieux du poids grandissant de l'opinion populaire
et des réformes nécessaires que commande la vie
démocratique ; il se veut moderne ; il s'oppose à
la vieille garde du Parti tory, engoncée dans ses
coutumes et crispée sur ses privilèges ; il critique sans ambages son programme qu'il juge
archaïque et dénonce la raideur aristocratique
incarnée par son chef : lord Salisbury. C'est de
surcroît un tribun écouté. Sur les bancs mêmes
de l'opposition, on applaudit son brio. Ce n'est
pas encore lui qui distribue les cartes mais il a le
mérite de proclamer haut et fort qu'il faut changer la donne.

À tort ou à raison, on lui prête la paternité
du slogan « *Trust the people, and they will trust
you* », qui froisse un peu la droite mais s'accorde
à l'époque et séduit les électeurs de tous bords.
Brillant, écouté, ambitieux, il se croit indispen-
sable. Sec, mordant, impulsif, il n'a pas que des

147

alliés dans son propre camp. Beaucoup d'amis, beaucoup de gants… Lord Randolph ne prend jamais de gants. Dans une société de castes, encore victorienne – beaucoup ne sont pas prêts à lâcher leur canne et leur chapeau –, il se montre téméraire, on le juge imprudent. D'autant que ce petit homme mince, pète-sec, tout en nerfs, coiffé avec la raie au milieu, comment dire, n'est ni chaleureux ni franchement sympathique. Il peut fasciner ou déplaire, il peine à émouvoir. Confiant, sûr de lui – trop peut-être –, il s'en moque. C'est ce qui le perdra.

Lord Randolph entrevoit la Belle Époque qui s'annonce il est trop heureux, trop aimé de la chance pour ne pas se sentir promis à un beau destin. Paradoxalement, la défaite électorale des conservateurs et le retour de Gladstone en 1880 le projettent sur le devant de la scène. Il s'élève sans difficulté, et ne s'en étonne pas. Nommé chancelier de l'Échiquier, puis leader du Parti conservateur aux Communes, il est promis au fauteuil de Premier ministre un jour, la reine elle-même le pense. Ses talents d'orateur sont indéniables, aussi il n'en doute pas. Sur les bancs de l'opposition, il brille par son éloquence, s'enchante de sa suprématie, profite de son charme, insoucieux de ceux qu'il blesse, méprisant ceux qu'il refuse de flatter. Lui-même, en revanche, se montre susceptible. Comme la Chambre refuse de voter sa proposition de budget, il démissionne sur un coup de tête ; il ne s'en relèvera jamais.

Dès la fin des années dix-huit cent quatre-vingt-dix, la santé de lord Randolph se détériore gravement. Rongé par la syphilis, tour à tour agressif, prostré, délirant, il perd la raison. Winston est le témoin horrifié de ce naufrage. Lord Randolph meurt à quarante-six ans après une lente agonie entrecoupée de crises paranoïaques et d'hallucinations.

C'est cet homme, malgré son échec auréolé par une fin tragique, que Winston érige en modèle. C'est à un fou qu'il rêve et qu'il tremble de ressembler. Et d'ailleurs, ils se ressemblent à faire peur, avec leurs hauts et leurs bas, tantôt au sommet de leur confiance, tantôt au fond du trou. Un Churchill, c'est-à-dire ?... Un dévoreur inassouvi, jamais rassasié. Un fumeur, un buveur, un joueur. Un lutteur maniaco-dépressif. Un politicien intuitif, impétueux et roué mais rétif aux courbes et aux chiffres. Un alcoolique mondain. Un travailleur infatigable. Un membre distingué de la *upper-upper-class* anglaise, avec des amis riches et puissants, mais lui-même sans fortune. Un raté accompli : lord Randolph. Un raté refoulé : Winston. Tel père, tel fils. D'où vient la faille ? Si lord

Randolph croyait en son destin – Winston aussi –, il n'avait pas le sens de l'Histoire – Winston, si !

Dans un autre poème, *Broken Love*, William Blake finissait par se rendre :

> *And throughout all Eternity*
> *I forgive you, you forgive me*[1].

Winston aussi devra un jour pardonner, taire sa crainte, soulever ce rideau rouge qui le sépare et qui le protège d'un amour qui n'a qu'un seul visage et qu'un seul nom.

---

1. « Et à travers l'éternité/ Je te pardonne, tu me pardonnes. »

10.

Cat & Pig

Londres-Blenheim-Tyrol,
printemps-été 1908

Mais marie-toi disait ma mère.

W. C.

En amour comme à la guerre, Winston se comporte un peu comme un enfant : il prend la chose très au sérieux. Trop. Et s'il était encore puceau à trente-deux ans ?... Peut-être. Jusqu'ici, en tout cas – chacun ses goûts –, il a plus aimé la guerre que l'amour. Et il ne cache pas sa préférence. D'ailleurs, aujourd'hui, c'est la politique qui l'occupe, nuit et jour. Il n'a même plus le temps de jouer au polo, c'est dire.

À peine entré au cabinet, au ministère du Commerce, il fait la connaissance de Clementine Hozier. Clementine !... voyons, ne l'a-t-il pas déjà rencontrée à un bal chez lady Crewe, sous les candélabres élisabéthains de Salisbury Hall ? Mais oui, il y a quatre ans, c'est même sa mère, Jennie, qui lui a présenté la jeune fille. La demoiselle lui avait tendu sa jolie main : « How do you do ? » Winston était resté stupide, incapable de

proférer un son. La panne ! Ça lui arrive parfois.
It's very rude, Winston !...

Un jour de mars 1908, il croise de nouveau la belle, ce n'est peut-être pas tout à fait un hasard, chez lady Jeune – devenue lady St. Helier –, toujours aussi charmante et mondaine, et qui fit tant pour lui quand il ne rêvait que d'aventure au Soudan. Clementine est la nièce de la baronne. Et dire qu'il a bien failli ne pas l'attendre ! Peut-être a-t-il finalement raison, le diable, de croire follement en son étoile. Jusque-là, il n'était qu'un fils, un cousin, un neveu. Jusque-là, sa mère était la femme la plus importante de sa vie.

Comment fonder une famille ? Qu'est-ce qu'un couple ? Informé des compromis de la vie conjugale, spectateur lucide des infidélités de ses parents qu'il admire pourtant et qu'il s'interdit de juger, il craint de devoir rester célibataire. Ça le tracasse un peu. Bon, pour commencer, il faudrait tomber amoureux d'une jeune fille... Il n'a pas l'intention d'innover en la matière et reste fidèle à la tradition. Encore faut-il que l'occasion se présente !

Mars, déjà ? L'hiver tarde à s'en aller. Il a accepté sans entrain l'invitation à dîner de la baronne à Portland Place ; elle a beaucoup insisté, pourquoi ?… mystère, il a promis, mais il n'a aucune envie de s'y rendre. À l'heure dite, Eddie Marsh, son secrétaire, le surprend à se prélasser dans son bain. Il n'ira pas, c'est dit, il est trop fatigué, il a d'autres choses en tête. Non, pitié, il ne va pas ruiner sa soirée dans un concile de raseurs ! Eddie, indigné, se fâche, plaide en faveur de sa tante qui l'adore et qui a tout fait pour lui. A-t-il le cœur de la décevoir ? Quel est ce caprice ? Il peine à convaincre Winston qui finit par se rendre et se laisse habiller à la hâte. Seul, il n'a jamais su, il faut qu'on l'aide.

C'est étrange, au même moment, dans sa maison de Kensington, Clementine partage avec sa mère, lady Blanche, à peu près la même conversation. Clementine a donné des cours particuliers de français toute la sainte journée – à une demi-couronne de l'heure, une misère ; elle aussi se sent lasse, elle a la migraine, il pleut, on ne trouvera pas un cab libre à cette heure, et puis elle n'a rien à se mettre, là ! Sa mère la gronde : « Assez de bêtises, Clemmie ! Comment peux-tu te montrer si ingrate ? Monte immédiatement dans ta chambre et habille-toi, s'il te plaît ! »

Tous deux arrivent en même temps chez lady St. Helier, contrariés et boudeurs. Ils sont affreusement en retard. Assis à table à côté de Clementine, Winston se montre sous son meilleur jour, franc, affable, enjôleur comme il sait l'être. Naturellement, il parle principalement de lui. A-t-elle lu son dernier livre ? Non, elle ne l'a pas lu. Il lui promet de lui envoyer un exemplaire, ce qu'il ne fera jamais. Elle se montre curieuse et attentive. Winston est sous le charme.

Clementine est devenue une ravissante jeune fille au visage bien dessiné, patricien, presque grec. Et sans dot, ce qui la prémunit contre un essaim de soupirants ! Elle appartient à une famille de la petite noblesse provinciale, d'origine écossaise. N'est-elle pas la petite-fille de lady Mabell Ogilvy, comtesse d'Airlie, qui fut dame de chambre de la reine ? Jack Leslie, l'oncle de Winston, a été son parrain, non ? Mais surtout, il y a dans ses yeux des réserves de douceur ; elle est parfaitement éduquée, et plutôt vive, fine mouche, spirituelle, ce qui ne s'apprend pas au collège. Indifférente aux cui-cui et aux intrigues qui agitent cette volière, elle semble à la fois fière et timide. L'oiseau rare.

Ce qui attire d'abord, ce sont ses cheveux qu'elle relève avec opulence, en chignon, sur le haut de la nuque ; elle ne porte aucun bijou, hormis une couple de perles à l'oreille. Ce n'est ni une pimbêche ni une fausse ingénue. Ni pie ni chipie. Elle a souffert de la mésentente de ses parents, elle a appris le français à la Sorbonne ;

elle affirme ses goûts avec assurance – elle n'aime pas Jennie, cela se sent – et se prononce sans peur sur chaque chose, sans cet aplomb de caste qui gâte la conversation.

Winston a dix ans de plus que Clementine, mais c'est elle de loin la plus mûre et la plus raisonnable. La célébrité lui indiffère, les célébrités l'ennuient. Il y a en elle une exigence silencieuse, une ambition plus haute, dédaigneuse du succès, des honneurs, de la foule. Il est impétueux, elle est posée. Il a perdu son père, comme c'est curieux, elle aussi. Il a de l'estomac, elle a du cœur. On n'imagine pas deux caractères plus opposés. Entre eux, ce n'est pas un coup de foudre ; il s'agit plutôt d'une évidence réciproque, immédiate, sereine.

Ému, Winston ose insister auprès de sa mère pour qu'on invite Clementine à la campagne un week-end. Mais, au printemps, lady Blanche part en voyage sur le continent, avec sa fille. Les lettres de Winston qui la poursuivent de ville en ville – elle feint devant sa mère de s'en étonner – lui font battre le cœur à une vitesse exagérée : « Je saisis cette heure fugitive pour écrire et vous dire combien j'ai aimé notre longue conversation, l'autre jour, le plaisir et l'agrément que ce fut de rencontrer une jeune fille telle que vous, avec tant de qualités intellectuelles et de noblesse dans les sentiments... Votre Winston.» Il lui parle du mariage de son frère avec lady Gwendoline Bertie mais aussi de politique – c'est plus fort que lui – et il ne manque pas de l'effrayer en lui contant sa dernière mésaventure : il vient d'échapper à un incendie, oui, en pleine nuit, *oh dear*, dans le manoir de son ami Freddy Guest à Burley-on-the-Hill ! Adorateur du feu et pompier dans l'âme, Winston a sauvé des flammes une toile de maître et un chat. *My hero !*

Toute la famille, dûment informée, suit les progrès de leur idylle avec un intérêt passionné. Les cancans vont bon train. Le roi même est tenu au courant. Les tantes et les cousins s'en mêlent. Début août, le duc de Marlborough invite officiellement Clementine et Winston dans le château familial, à Blenheim – on dit *blen'em* – en petit comité, pour le week-end. Par souci des convenances, Jennie leur servira de chaperon, sage précaution – on dit que le roi, apprenant la chose, fut pris d'un immense fou rire !

Blenheim. Le premier duc de Marlborough, qui reçut le manoir de Woodstock des mains de la reine Anne après sa victoire contre les Français en Bavière, en 1705, en a fait un palais qui n'a cessé de s'agrandir. Trois hectares de toiture, trois cent vingt chambres, une chapelle (où Winston a été baptisé), une bibliothèque. Un parc immense, un lac, une cascade. Clementine est un peu intimidée. Winston songe à se déclarer à la faveur d'une promenade sous les ormes séculaires, suivie, par exemple, d'une halte dans la roseraie mais, au moment fatidique, un orage éclate ; les deux tourtereaux courent se réfugier sous les colonnes du petit temple de Diane qui surmonte le lac de Blenheim. C'est tout nigaud, frissonnant et trempé jusqu'aux os que Winston s'agenouille et demande à Clementine de devenir sa femme. Elle consent ; elle exige seulement le silence, le temps d'obtenir l'accord de sa mère. Soit. Quelques minutes plus tard, Winston n'hésite pas à héler des promeneurs et à leur annoncer la nouvelle en hurlant. Le roi n'est pas son cousin...

Le lendemain, Winston offre à sa fiancée un bouquet de roses et écrit une lettre officielle à lady Blanche : « Je ne suis ni riche ni n'occupe une puissante position mais votre fille m'aime et cet amour me rend assez fort pour assumer cette grande et belle responsabilité ; je crois que je saurai la rendre heureuse et lui offrir un avenir digne de ses vertus et de sa beauté. » Et lui, l'aime-t-il ?... Forcément, puisqu'il le veut, puisqu'il *la* veut.

Il n'enverra jamais la lettre, ce qui n'a pas empêché lady Blanche de l'accueillir aussitôt comme un fils. Le mariage a lieu trois semaines plus tard, le samedi 12 septembre, dans l'église St. Margaret, à Westminster. Le couple est béni par l'évêque Welldon, le régent de Harrow, *this is a small world*! La cérémonie est suivie d'une fastueuse réception à Portland Place, chez lady St. Helier, avec tout le gratin. Winston choisit lord Cecil dit « Linky », le fils de Salisbury, comme témoin. C'est un concours d'élégance. Un bouquet de roses et de tubéreuses à la main, Clementine semble une madone préraphaélite sous son voile. Comme toujours, Winston se distingue : fagoté comme l'as de pique, il ressemble plutôt à un cocher en goguette, si l'on en croit les gazettes. Sir Bindon Blood, Lloyd George, Balfour et les Chamberlain envoient de somptueux cadeaux de noces. Le roi offre à Winston une canne à pommeau d'or. Pendant les festivités, une troupe de saltimbanques donne une aubade en cockney devant les grilles de Portland Place – ce sont les *Pearly Kings & Queens*, les Marchands des quatre-saisons de la City, costumés de perles, qui remercient Winston d'avoir prêté l'oreille à leurs doléances syndicales. Winston fait le modeste, Clementine remercie son grand homme d'un baiser.

Pendant leur lune de miel, les caleçons de soie rose pâle de Winston lui sont un sujet d'étonnement. Il prétend – c'est mignon – avoir l'épiderme délicat et réfractaire au coton. Il est fier d'avoir une peau de bébé, lisse et sans taches, hormis à cet endroit où un chirurgien militaire a jadis prélevé quelques centimètres de chair afin de pratiquer une greffe sur l'un de ses amis, un officier, cela va de soi. Pour le reste, il est intact – si l'on en juge par son livret militaire, il devrait déjà être borgne, manchot, paraplégique.

Pendant leur voyage de noces au Tyrol, ils sont les hôtes du baron Tuty de Forest, qui a reçu une parfaite éducation anglaise. Avec sa jeune épouse, Winston est aux petits soins – il n'en revient pas lui-même –, s'ingéniant à deviner l'ombre de ses désirs les plus secrets, *the inner needs of her soul*, et les considérant gravement, par jeu, comme une injonction divine. Pourtant, Clementine s'ennuie un peu au début. Quand Winston n'est pas à la chasse au chevreuil, il reste la tête plongée dans ses dossiers. Clementine est une alouette qui se lève tôt, Winston est un rossignol qui vit la nuit. Chacun déjeunera dans son lit à l'heure qui lui convient. Du coup, ils ne cessent de s'écrire des billets, des mots doux, des lettres, où s'exprime avec une suavité un peu niaise leur affection mutuelle. Il l'appelle « Cat » ; elle l'appelle « Pug » ou « Pig ». Ce rite courtois durera toute leur vie.

Un mois après leur mariage, Clementine tombe enceinte. Ils déménagent à Eccleston Square, dans le quartier de Pimlico, entre la gare Victoria et la Tamise. Ils tirent un peu le diable par la queue. Quand Winston amène à l'improviste une bande d'amis à dîner, ce qui arrive souvent, elle s'effraie pudiquement de la dépense, elle rougit de ne servir qu'une maigre tambouille dans la vaisselle à monogramme ; elle agite sous le nez de Winston les liasses de factures impayées, il hausse les épaules, luxueusement. L'argent, ce n'est pas un problème, *darling*. Les contingences, Winston s'assoit dessus. D'ailleurs, il ne s'est jamais senti pauvre. On n'a pas le sou, on est ruiné, d'accord, mais pas au point de devoir se priver de champagne ! Clementine feint de le gronder, s'attriste à peine de devoir vendre ses bijoux pour payer les domestiques ; rien ne peut la dissuader d'être heureuse de vivre avec un fou. Est-il tendre ou féroce ? Elle connaît la réponse depuis le premier jour.

Clementine est sensible – en anglais : *susceptible*. Le plus petit affront la blesse ; la moindre offense à ses convictions la touche. Elle ne se fâche pas. Elle se tait, et elle rompt. Certains amis de Winston en font les frais. Elle s'en excuse : « Ne cesse jamais de m'aimer. Je ne pourrais vivre sans toi. » Il lui répond : « Parfois, je rêve de conquérir le monde, et puis je m'aperçois que je ne suis qu'un idiot. Ton amour est ma seule gloire. Je souhaite seulement me hisser jusqu'à toi.» Fadaises? Non, il est sincère, il est toujours sincère : sans elle, il se sent diminué; grâce à elle, il est libre de s'accomplir, enfin. Rien n'assombrit leur entente, rien ne les sépare. Et s'ils connaîtront nécessairement des heurts dans leur longue vie, ils ne seront pas affectés par le doute. Quoi de plus doux, dans un couple, que de se réconcilier, d'abord avec soi-même? Pour Winston, c'est nouveau.

Seront-ils d'accord sur tout? Non, loin de là. Winston a, en matière de décoration, un goût affirmé pour le flamboyant qui s'oppose aux préférences discrètes de Clementine. Un an avant son mariage, Winston a participé à un safari en Ouganda et au Kenya; il serait assez tenté d'accrocher une tête de rhinocéros au-dessus de la cheminée et, pourquoi pas, une peau de zèbre, là, par exemple... Clementine se montre inflexible. «Vous êtes le seul zèbre, Winston, que j'autorise à galoper dans mon salon.»

Amie des libéraux, Clementine admire Lloyd George – quoi, ce bouc pommadé! Viscéralement, au-delà d'une alliance provisoire avec leur camp, Winston reste un tory – par fidélité à la mémoire paternelle autant que par opportunisme.

Un conservateur – sans doctrine, sans dogmes, sans scrupules. En 1908, il est favorable à une politique de réforme de la législation sociale et s'oppose à l'accroissement des dépenses militaires ; il changera bientôt d'avis devant les visées belliqueuses de l'Allemagne. Tout le monde peut retourner sa veste, mais il faut une certaine adresse pour la remettre à l'endroit. Il ne faudra pas compter sur Clementine pour recoudre les boutons.

Plutôt féministe, elle défend avec ardeur le vote des femmes que Winston considérait il y a peu comme « contraire à la loi naturelle et à la pratique des États civilisés » ! Quant aux suffragettes, ne parlons pas de ce « mouvement ridicule » ! Winston, franchement misogyne, n'est toujours pas très chaud sur ce point – mais là encore, il changera d'avis. Clementine, elle, ne varie pas. Elle lui pardonne, car elle lui pardonne tout. Elle est d'abord, et tout est là, son amie, indéfectiblement, et elle restera jusqu'à la fin sa confidente, sa conseillère et son adepte.

Clementine tolère les foucades de Winston, même si sa frénésie l'affole. Ce qui l'émeut, pourtant, c'est qu'il met de l'engouement, une avidité, une grâce un peu malhabile de gosse dans tout ce qu'il entreprend, et même une sorte de délire dans tout ce qu'il touche. Avec lui, on

ne s'ennuie jamais. Il a fait sien ce proverbe ban-
tou : «Si tu avances, tu meurs. Si tu recules, tu
meurs. Pourquoi reculer?» Pas facile à partager.
Quoi qu'il fasse, il faut qu'il se jette, qu'il plonge,
qu'il s'enfonce ou qu'il se hisse, pour décrocher
le pompon. Il se fracasse et, même aux plus bas
étages de la détresse, il n'en démord pas.

Clementine n'a aucune affinité avec la perdition, aucune accointance trouble avec le Chien
noir – elle est trop saine, trop sensée; elle ignore
le versant sinistre de Winston tout en sachant,
bien sûr, qu'il existe; elle ne transige pas avec la
Bête qui gronde dans les parages de son amour
tout en sachant qu'elle pourrait elle aussi être
dévorée. Pas d'intelligence avec l'Ennemi...
Que peut la raison devant ces vagues soudaines
qui parfois submergent son mari? Sa compassion
même est impuissante.

C'est comme s'il s'épuisait à combattre un
nuage. Dans ces moments-là, il touche le fond
et ce fond est le vide. Il enrage d'imaginer, sous
ce poids de néant, une quantité d'actes devenus
impossibles, de certitudes qui disparaissent, faute
de cet ingrédient vulgaire, la force brute, qui soudain lui manque, le dépossède de sa volonté, et
qui pourtant, au même moment, c'est absurde,
monte et se rue en tout animal, se dépense de
toutes parts, se boit elle-même, se verse à flots

165

inutiles dans les stades et sur les champs de bataille. Alors, il est content de pouvoir encore seulement respirer.

Winston détient seul le remède de ce mal ancestral et c'est en lui seulement qu'il doit puiser son salut. Ce combat, c'est le sien. Quand il devient sa propre proie, il n'y a rien à faire. Clementine se contente d'être là quand elle le peut. Devant ces crises dont la violence la terrifie, devant la fureur sporadique dont elle devient parfois elle-même la cible, elle se montrera toujours insinuante, douce, secourable. À son chevet, une main calme sur son front brûlant, lui cachant son inquiétude, comme à un enfant malade.

Au fond, Winston n'a déposé les armes que devant elle. Que serait-il devenu s'il n'avait pas rencontré Clementine? Grâce à elle, il a survécu à son rêve et poussé son bail jusque dans la vieillesse; son appétit, sa curiosité ne l'ont pas quitté; il n'a cessé de renaître de ses échecs et de vaincre ses défaillances. Elle a été sa plus belle idée de l'avenir. Winston a toujours cru en son étoile mais, sans elle, c'eût été un astre éteint, il serait mort de froid. Il y a une faille en toute chose, c'est par où entre la lumière[1].

---

1. Leonard Cohen : « There's a crack in everything, that's how the light gets in. »

S'il lui avait dit ce qu'il avait un jour écrit à sa mère : «J'aimerais que vous me disiez non pas ce que vous pensez de moi mais ce que je veux que vous pensiez de moi», elle lui aurait ri au nez. Par chance, ce n'était ni une épouse abusive ni une cruche. Sans elle, Winston serait resté un affreux misogyne. Il lui devient loisible, grâce à elle, par sa seule présence à ses côtés, de devenir celui qu'il veut être et en qui elle croit, depuis le premier jour.

11.

À moi de jouer !

Londres, printemps 1910-1911

He knew human folly like the back of his hand,
And was greatly interested in armies and fleets;
When he laughed, respectable senators burst
with laughter,
And when he cried the little children died in
the streets[1].

W. H. Auden

---

1. « Il connaissait l'humaine folie comme le dos de sa main/ Il s'intéressait à l'armée et aux navires de la flotte/ Quand il riait, de respectables sénateurs se tapaient les cuisses/ Et quand il pleurait, les petits enfants mouraient dans les rues. »

Winston est élu député conservateur dès 1900. En 1904, il quitte les tories pour rejoindre le Parti libéral. C'est sous cette étiquette qu'il devient parlementaire en 1906. Asquith, qui sera Premier ministre, est lui aussi libéral, tout comme Lloyd George. Le Parti libéral est situé au centre, entre les conservateurs et les travaillistes. Pour une majorité de conservateurs, Churchill sera donc un renégat, tandis que, pour l'aile gauche du Parti libéral, c'est un aristocrate fardé en tribun, un démagogue, un opportuniste. Il sera toujours attaqué par la droite, qui le trouve trop mou, et par la gauche, qui le trouve trop dur. En 1925, il rejoindra le Parti conservateur que, cette fois, il ne quittera plus. Once a Tory, always a Tory...

Le 6 mai 1910, on annonce la mort soudaine du roi Édouard. La reine Alexandra a juste le temps – délicate attention – de prévenir

« Alice », Mrs. Keppel, la maîtresse officielle de son époux, afin qu'elle puisse se rendre à son chevet et lui baiser le front une dernière fois. Sa Majesté était un petit polisson. Ce soir-là, Winston dîne chez sa mère avec Clementine, Margot Asquith et quelques amis proches. Un convive lève son verre : « À la santé de George V, le nouveau roi ! » Un autre corrige : « Buvons plutôt à la mémoire de l'ancien ! » Jennie fond en larmes. Elle a du chagrin, elle se sent laide. On tente de la consoler. En vain. Pour elle, c'est la fin d'un règne – le sien. Pour Winston, tout recommence – l'ivresse d'un début, c'est celle qu'il préfère. Un nouveau départ l'excite comme une naissance.

Toutes les têtes couronnées d'Europe assistent aux obsèques d'Édouard. Le Kaiser Guillaume, son neveu – il est le petit-fils de Victoria –, est au premier rang avec son cousin Nicolas II de Russie qui semble un sosie de George V, impavide dans son uniforme rouge de feld-maréchal. Jennie n'est pas invitée. Les anciennes favorites du roi – Lillie Langtry et Alice, entre autres – lui rendront un hommage solennel, à leur façon, à Ascot, quelques semaines plus tard, en arborant des capelines en crêpe de Chine ornées de plumes et de rubans noirs. La presse saluera comme il se doit leur geste alliant la fidélité et l'élégance.

Aux élections générales de janvier 1910, les libéraux perdent cent vingt-cinq sièges : c'est un sévère avertissement ; ils conservent néanmoins une majorité suffisante pour former un nouveau gouvernement en s'accointant avec les députés travaillistes et irlandais. À trente-cinq ans, Churchill, facilement réélu dans sa circonscription de Dundee, se voit proposer le ministère de l'Intérieur. Ce n'est pas trop tôt !

Winston, on ne sait pourquoi, une lubie, voudrait qu'on baptise un nouveau navire de guerre le *Cromwell*. George refuse catégoriquement. Le jeune roi se méfie de Winston – pas fiable, prétentieux, opportuniste. Ben quoi ! la seule chose qu'on puisse posséder, c'est : l'instant ! Seul le présent existe, songe Winston.

À la suite d'une visite dans les *slums* de Manchester, il découvre la condition ouvrière. Il s'est donné une nouvelle mission : sauver les pauvres. Il se persuade que, s'il a si souvent échappé à la mort, c'est qu'il est destiné à accomplir une grande œuvre sociale. Il veut qu'on soigne les travailleurs et qu'on aide les chômeurs. Ses amis sont consternés. Lui qui a toujours vécu dans une cage dorée, entouré de serviteurs, ignorant même qu'il existe des billets de troisième classe ! À quoi songe-t-il ? Veut-il obscurément venger son père des coups bas des tories qui ont entraîné sa chute ? Entrevoit-il que le jeune Parti travailliste menace de déborder les libéraux sur leur gauche ?

On le traite de démagogue et d'histrion. Quand il est féroce – il a appris à l'être –, Winston cesse d'être comédien. Il n'a aucune méchanceté – il souffre de voir souffrir, comme n'importe qui, sans se complaire au malheur et s'y appesantir. En revanche, il sera toujours sans merci envers ceux qui spéculent sur son apitoiement ou qui l'adjurent au nom d'entités indécises : Dieu, l'humanité, la justice. Que la référence à ces idoles soit fondée, il ne songe pas même à le nier, cela ne le préoccupe guère ; il se retranche volontiers dans l'ironie devant l'adoration sous toutes ses formes et les stupidités qu'elle suscite, comme un usage aveugle qui vous dispense de juger et vous dissuade d'agir. Il est sceptique avec ardeur. Quant à la démocratie, il se convainc qu'il suffit de parler cinq minutes avec n'importe quel électeur pour en douter.

Le nouveau *Home Secretary* a du pain sur la planche : outre qu'il est responsable du maintien de l'ordre, il doit s'occuper des prisons et des pompiers – il adore les pompiers ! Mais aussi de la réforme des cours de justice, du travail des enfants, de la sécurité dans les mines et dans les arsenaux, de l'immigration et des étrangers, de la réglementation des débits de boissons et des jeux de hasard – et là, il sait de quoi il parle. Il lui incombe de surcroît d'exercer le droit de grâce : il s'en acquitte avec modération – au cours de son mandat, il ne fera pendre que vingt-deux condamnés sur quarante-trois !

Churchill aime l'autorité – il en use, il en abuse parfois. Il se plaît à l'incarner puisqu'il le faut. Mais il se moque de l'étiquette et des protocoles ; il ne supporte pas d'être dépendant, subordonné, soumis. La hiérarchie est toujours un faux semblant, une parodie qui méconnaît la valeur réelle des individus et ne fait que manifester le simulacre des pouvoirs. Elle s'impose dans la politique ou dans l'armée, plus qu'ailleurs ; elle nous oblige mais elle ne reflète ni les mérites ni les vertus : «Il n'est pas nécessaire, parce que vous êtes duc, que je vous estime ; mais il est nécessaire que je vous salue.» N'est-ce pas risible ?

Churchill fourmille de projets de réforme dans chaque département de son ministère ; il n'agit pas, il se démène, il se met le rouge aux joues, il milite. Il a en général un point de vue très arrêté sur les innovations qui à ses yeux s'imposent ; il est plus incertain, plus fluctuant, quant à la méthode. Son imagination est sans limites ; les idées fusent ; il est inventif, souvent aberrant, parfois génial ; il revient à ses collaborateurs, affolés de ses audaces, de faire le tri entre le possible et le déraisonnable.

L'action, enfin ! Il appelle ainsi, sans jamais véritablement le nommer, ce pouvoir de changer l'eau en vin, de remplir le vide, de chasser l'ennui, de couper les ailes de la morosité, de rogner les griffes de l'atavisme, de supprimer les pensées, les heures, les fantômes. Quelle délivrance ! Là, il se connaît enfin, il se multiplie, il se divise ; il se surprend, dans l'adversité, dans la lutte, *against the odds*, d'être si présent et si absent, si éperdu et si clair, à ce point soumis et souverain. Il se délie.

Un an plus tard, au matin du 3 janvier 1911, Churchill est dérangé dans son bain : des anarchistes lettons ont tué trois policiers ; ils se sont retranchés dans une maison de Sydney Street, à Whitechapel, et défient les forces de l'ordre. *Bloody hell !* Il faut faire intervenir la troupe et les déloger. Churchill, le cheveu encore humide et rasé de frais, se rend aussitôt sur place et prend la direction des opérations. Mais de quoi se mêle-t-il ? Il voudrait éviter un bain de sang mais pas à n'importe quel prix ; il faut rétablir l'ordre ; l'odeur de la poudre et la fumée réveillent en lui des sensations exquises et oubliées.

Au cours de l'assaut qui s'ensuit, la maison prend feu. Pris au piège, les insurgés rendent les armes. *What a beautiful day!* Le lendemain, la photo de l'incendie fait la une de tous les quotidiens. Au premier plan : Churchill en haut-de-forme et en col de fourrure, radieux. Ses adversaires en font des gorges chaudes. Aux Communes, lord Balfour ironise : « Je comprends bien la présence du photographe, mais que fichait là le ministre de l'Intérieur ? » Churchill n'est pas un bureaucrate ; s'il aime prendre l'air, ce n'est pas un promeneur solitaire, avec une âme à cueillir des fleurs au bord du chemin.

L'été 1911 est chaud. Une vague de grèves et d'émeutes se répand dans les ports, dans les mines et dans les chemins de fer. La presse est déchaînée. L'opinion s'exaspère – c'est fou le nombre de gens qui savent comment il faudrait rétablir l'ordre et qui sont occupés à conduire des taxis, couper des cheveux ou servir des bières ! Le roi lui-même s'impatiente. N'est-ce pas au ministre de l'Intérieur qu'il incombe d'assurer l'approvisionnement et la sécurité dans le pays ? À regret, Winston ordonne à la troupe d'intervenir aux côtés des forces de police. Fin août, au pays de Galles, un train de marchandises est pris d'assaut. Les soldats tirent sur la foule. Quatre morts. Le jour même, Lloyd George obtient un compromis inespéré avec les grévistes et met un terme au conflit. Les ministres du Cabinet se félicitent, mais qui aura le cran d'annoncer la nouvelle à Winston ? Lloyd George se dévoue, c'est son ami, après tout. Il trouve Winston dans son bureau, à quatre pattes devant des cartes, échafaudant un plan de bataille avec des cubes en bois et des crayons. « C'est fini, Winston », murmure Lloyd George. *« Damned ! »*, s'écrie Churchill qui tape du pied et déchire ses cartes avec dépit. Il n'est que déçu. Sans haine envers les grévistes. Seulement furieux que la partie s'achève si vite.

Le 1er octobre 1911, les choses sérieuses commencent : Asquith nomme Churchill premier lord de l'Amirauté. C'est un poste clé auquel s'ajoute en Angleterre un prestige neptunien. Churchill a toujours adoré les armes, la tactique, la haute stratégie. Et le grand large. Quand même, cette fois, son père aurait été fier de lui, non ? Est-ce qu'on confie de telles responsabilités à un crétin ?

Au moment où la menace de la guerre avec l'Allemagne devient chaque jour plus pesante, c'est lui, Winston Churchill, le descendant de Marlborough, qui va commander les forces navales qui garantissent la sécurité de la Grande-Bretagne et de son empire. Il se sent taillé pour remplir des missions extraordinaires. Ne rêvons pas, la guerre mondiale en Europe n'aura pas lieu, et d'ailleurs le Kaiser, qui est un ami de la famille, s'est toujours montré charmant à son égard ; il l'a même invité à assister à de grandes manœuvres au cours de l'été 1909. Non, la guerre avec l'Allemagne, c'est inimaginable !

Churchill, en tout cas, se prépare à jouer un rôle important au sommet de l'État ; il ne doute pas un instant d'être à la hauteur de la tâche qui l'attend – il ne peut deviner qu'elle sera infiniment plus lourde qu'il ne le suppose. Devant la montée des périls en Europe, si les circonstances l'exigent, il se portera volontaire, il sera l'homme de la situation. À l'Amirauté, quoi qu'il advienne, il est l'homme qu'il faut là où il faut, on trouvera à qui parler.

Ce sont pour Winston des années intenses, actives, mémorables. Il entreprend de réformer la flotte et de riposter aux progrès récents de la marine allemande, dotée de navires plus modernes. Il impose aux officiers de marine des heures de service supplémentaires – ils doivent désormais être en alerte jour et nuit afin de répondre à une attaque surprise de l'Allemagne ; il crée un état-major de guerre et, en collaboration avec le War Office, étudie les conditions d'un éventuel transport de troupes sur le théâtre européen.

Il lui faut, pour accomplir ces réformes onéreuses, batailler sans relâche à la Chambre afin d'obtenir les budgets requis. Son éloquence, alliée à sa connaissance intime des dossiers, le sert. Il a l'art de frapper les imaginations par des images : « Si vous voulez vous représenter correctement une bataille entre deux cuirassés modernes, il ne faut pas voir cela comme deux hommes en armure qui se battent avec de lourdes épées. Cela ressemble plutôt à un combat entre deux coquilles d'œuf qui se frapperaient avec des marteaux. D'où l'importance de frapper le premier, de frapper le plus fort, et de continuer à frapper. »

Qu'il s'arrête parfois avec une exaspérante minutie aux détails achève de convaincre, de guerre lasse, ses auditeurs, et, s'il prend parfois des vessies pour des lanternes, il ne lâche rien, ni l'ombre ni la proie. L'enjeu, son unique dessein, son obsession, c'est de restaurer la suprématie anglaise sur les mers. Il ne demande pas, il exige qu'on obéisse à cette nécessité et qu'on y mette le prix.

Churchill épuise tous ses collaborateurs. Lui-même s'impose des horaires démentiels, de l'aube à minuit ; il faut se mettre au diapason. Le dimanche et les jours fériés, il visite les chantiers navals et les arsenaux, inopinément ; il prend le temps de s'informer ; il parle sans discrimination avec les gradés et les sous-fifres, les experts et les soutiers, reconnaissants, qui se confient à lui. Il se montre parfaitement capable de rectifier

ses opinions préconçues, de modifier sa stratégie en se confrontant aux avis des plus compé-
tents qu'il recrute, convoque, écoute longuement
jusqu'à former son propre jugement. Mais nul ne
s'y trompe : sous sa bonhomie, sous sa sincérité
bourrue, il incarne la puissance et l'autorité, il en
jouit.

Son entourage est parfois surpris par ses volte-
face. En vérité, c'est le contraire d'un dogma-
tique. Il sait changer d'avis si nécessaire. Une
fois convaincu, il n'en démord pas. Son apparente
versatilité ne fait qu'habiller son obstination.
Il révise la solde, la formation et les conditions
de vie, la discipline et le système de promotion
des marins. Les militaires manquent d'imagination ? Il introduit des séances de *Kriegspiel* dans
le programme des officiers. Il fait aménager la
base de Scapa Flow, dans les Orcades, au nord de
l'Écosse, afin de surveiller tout mouvement de la
flotte allemande et arme les nouveaux cuirassés
de l'escadre britannique, les *Super Dreadnought*,
de canons de quinze pouces ultramodernes. Autre
pari risqué – et coûteux : il prend la décision de
remplacer le charbon par le mazout, ce qui aug-
mente la vitesse et l'autonomie des navires de
guerre.

Prévoyant, parfois visionnaire, il est souvent
inintelligible, et ses plus proches collaborateurs

peinent à le suivre. Parce qu'il est pressé, il se montre rugueux, cassant, même avec les plus dévoués. Churchill est sans pitié, sans égard pour les partisans de la lenteur, c'est-à-dire tous ceux qui se mettent en travers de son chemin. Un défaut qui attendrit sa grand-mère – c'est tout le portrait de lord Randolph ! On le juge téméraire, irréfléchi, présomptueux. Ses adversaires le prennent pour un fou. Il n'en a cure. Il ne doute pas d'avoir raison.

Pourquoi diable se mêle-t-il d'inciter son gouvernement à contrôler l'Anglo Persian Oil Company ? Pour s'assurer des réserves durables de carburant, pardi ! Les faits ne lui donneront pas tort sur ce point. Il mise sur une arme encore imparfaite et à laquelle personne ne croit : l'aviation. Là encore, il a du nez. Dès son arrivée à l'Amirauté, il crée un département de l'Air qui aboutira à la création de l'aéronavale en 1912. Les avions, à l'époque, sont utilisés exclusivement dans des missions de reconnaissance ; il suggère de les équiper de mitrailleuses. On sourit, on tente de dissuader l'extravagant. Il s'entête. Et une fois de plus, il voit juste, avant tout le monde.

Comme son père, lord Randolph, Churchill est un joueur. Il adore tenter le tout pour le tout, sur un coup de dés. Il a surtout une vertu irremplaçable, et qu'il cultive avec insolence : la chance. Ayant appris les rudiments du pilotage, lui qui est un danger public au volant d'une automobile, il terrorise ses passagers et ses instructeurs et manque plusieurs fois de s'écraser au sol. Un jour, son hydravion tombe en panne au-dessus de la mer du Nord mais parvient à se poser en catastrophe avant d'être remorqué jusqu'au port, d'où Churchill s'envole de nouveau sans s'émouvoir. Une autre fois, rappelé d'urgence à Londres, il quitte l'appareil quelques minutes avant le décollage. Il apprend le lendemain que l'avion a subi un accident dans lequel il n'y a aucun survivant.

Tôt ou tard, il faut qu'il commande. Dans la tempête, il se sent l'âme d'un capitaine. Sous un chêne, il se sent druide. Et devant un volcan, on le saura bientôt, adorateur du feu ! On le dit incontrôlable et pourtant il ne cesse de vouloir s'apprivoiser, se contenir, se vaincre. Il y a cet ego qui le possède et qui le pousse et qui n'a rien de personnel, au fond, ni visage ni langage certain, devant lequel il est nu et que rien ne trompe. Et puis il y a ce moi, autrement impérieux, qui le déchire et qu'il nourrit de sa propre fièvre, toujours remâchée, seul aliment pour qu'il s'accroisse et renaisse. Pour lui, toute introspection est inutile. Il ne faut entrer en soi-même qu'armé jusqu'aux dents.

12.

Viré !

Londres, août 1914

J'aime que les choses arrivent, et si elles
n'arrivent pas, je fais en sorte qu'elles arrivent.

W. C.

Qui songerait à s'alarmer de la mort d'un archiduc autrichien malencontreusement tombé sous les balles d'un activiste serbe en Bosnie-Herzégovine ? Était-ce le 28 juin 1914 ? Peut-être. Le plus fâcheux, se lamente un parlementaire, c'est que le bal de la Cour à Buckingham Palace est annulé sous prétexte que la famille royale a pris le deuil.

Personne, ni dans le gouvernement ni dans l'opinion, ne songe à un conflit avec l'Allemagne, les Prussiens sont des gens convenables, non ? Personne n'y croit, sauf Winston – quel excité ! Le premier lord de l'Amirauté ne pense plus qu'à ça – il a bien changé d'avis depuis que le Kaiser a repoussé avec morgue sa proposition de « trêve dans la surenchère navale ». Les Habsbourg sont fréquentables mais il devient difficile de s'entendre avec ces petits parvenus de Hohenzollern qui se croient tout permis et qui guignent la vieille Europe comme si c'était un gâteau à la crème. Winston se prépare donc à la guerre totale.

Il lui faut ses quatre cuirassés supplémentaires, et il les aura ! N'en déplaise à Lloyd George, qui n'a jamais tenu un fusil de sa vie et qui lui met des bâtons dans les roues. N'en déplaise au Cabinet qui – à l'exception de ce cher Asquith – s'oppose à l'augmentation des dépenses militaires. N'en déplaise aux libéraux qui préféreraient qu'on s'occupe de la pauvreté et du chômage. Le coût ? Cinquante millions de livres – une bagatelle ! Mais enfin, Winston, la misère règne dans les villes et dans les campagnes, la guerre civile couve en Ulster, Edward Carson, qui a toujours voulu ta tête, a recruté une milice de cent mille hommes à Belfast, n'y a-t-il pas mieux à faire ? Non, non et non !

Le ciel est noir, un orage gronde au-dessus du West End. Après l'un des hivers les plus rudes qu'ait connus l'Angleterre, suivi de neiges tardives en mai, les Londoniens étouffent sous la canicule. Le soir, en quête de fraîcheur, ils se réfugient en riant dans les parcs de la ville ; les promeneurs s'assoient par grappes dans l'herbe sèche qui a pris la couleur du foin. Les femmes les plus hardies ont les bras nus et boivent de la bière ; certaines ont même enlevé les cloches à fromage et les nids de pie qu'elles portent ordinairement sur la tête.

Clementine, de nouveau enceinte, est partie en vacances avec les enfants à Cromer, au bord de la mer, les petits ont attrapé les oreillons, le carburateur de la Napier landaulette est encore tombé en panne... De la fenêtre de son bureau, le premier lord de l'Amirauté, un verre de cognac à la main, contemple St. James' Park comme s'il guettait un présage tout en consultant nerveusement sa montre à intervalles réguliers – c'est étrange, lui qui ne se soucie jamais de l'heure qu'il est. Est-il bouillant ? Est-il calme ? Les deux à la fois, comme à son habitude. L'ultimatum lancé à Berlin exigeant le respect de la neutralité de la Belgique et l'inviolabilité de ses frontières expire à onze heures. On ne va pas se faire la guerre pour un « chiffon de papier », ah ! elle est bien bonne, il ne manque pas de culot, l'ambassadeur du Kaiser ! Enfin, la cloche de Big Ben sonne les onze coups fatidiques... *Damned !*

Churchill expire une longue bouffée de son havane dont les volutes s'estompent dans la nuit d'été. En treize ans, songe-t-il, il s'est élevé presque au sommet de l'État. Ah ! si son père pouvait le voir à cet instant ! *Look at me, father !*

189

C'est l'heure, c'est son heure, c'est maintenant. *Look at me, old fool !* Regarde-moi, vieille taupe ! Puisque les Allemands veulent la guerre, on aura la guerre en Europe. Et qui va la conduire, hein ? Qui va la gagner ?… Ton fils, mon cher Papa !

Car Winston ne doute pas un instant de la victoire – de la victoire de l'Angleterre, et cette victoire, ce sera *la sienne* !

La guerre, donc. Churchill n'en est pas étonné. D'abord il n'y a pas cru, puis il l'a prédite et redoutée, cette guerre nouvelle, il l'a confusément désirée tout en faisant tout pour l'empêcher ; il l'a brandie comme une obsession, comme une menace devant des parlementaires incrédules, sceptiques, apeurés ; il n'a cessé d'alerter l'opinion par ses discours exagérés à la Chambre : « Tu as encore fait ton petit Sénèque, aujourd'hui ! » se moquait gentiment Clementine. Depuis de longs mois, il s'acharne à obtenir des députés le vote des crédits nécessaires à une politique moderne d'armement.

On l'a traité de fou, ce qui ne l'émeut guère. On l'a accusé d'être violent, belliqueux, irresponsable, il s'en fiche. Il s'est rendu très impopulaire. Et après ? Grâce à lui, la marine anglaise a comblé une partie de son retard vis-à-vis de sa rivale allemande. Oui, parfaitement, grâce à lui, car sans lui…

Et maintenant ? Bon, une guerre, c'est affreux, mais il n'est pas si fâché que les faits lui donnent raison. Il a, croit-il, toutes les cartes en main. Dans la nuit, tous les navires de la flotte recevront l'ordre d'ouvrir les hostilités avec l'Allemagne. À lui de jouer – oui, la guerre est un jeu, vous ne le saviez pas ? D'ailleurs, rassurez-vous, c'est l'affaire d'un été, la saison idéale, si on aime l'exercice et le grand air.

Élève-officier à Sandhurst, Winston se désespérait de ne jamais devoir connaître que la paix. La vie de caserne. *So boring !* Dieu merci, contrairement à ses collègues du gouvernement, la guerre, il connaît. Sauf que cette fois, il ne s'agit pas de pacifier une horde de sauvages armés de sagaies sur les marches de l'empire. À trente-neuf ans, il se retrouve soudain au centre d'un conflit mondial, la main sur le gouvernail, à la tête de la marine de Sa Majesté, avec le devoir de protéger les côtes sacrées de l'Angleterre et d'élever un rempart infranchissable devant une possible invasion des barbares. Il vit un rêve.

Il l'avoue dans une lettre à Clemmie, la seule sans doute à qui il peut confier ce qu'il ressent sans crainte d'être incompris : « Je suis intéressé, fin prêt et heureux. N'est-ce pas horrible d'être ainsi fait ? Les préparatifs de la guerre provoquent en moi une hideuse fascination. » Voyons, rien que de très normal, «Pig» mon chéri! Clemmie le comprend presque aussi bien que Woom jadis. Son excitation, en revanche, suscite l'effroi de ses collègues qui ne cachent pas leur consternation devant la terrible nouvelle. Tous, Lloyd George, Asquith, Harcourt, sont accablés. Winston, lui, s'efforce de cacher sa joie – oui, sa joie. Il prend les choses à cœur. Il travaille dès huit heures le matin jusque tard dans la nuit, au ministère, et il se mêle de tout.

Le 5 août, Asquith appelle lord Kitchener, le héros de Khartoum, au ministère de la Guerre. Vieille connaissance. Kitchener est de ces généraux qui lisent leur victoire, non pas à la veille de la bataille en regardant les étoiles, mais le lendemain en bâillant devant leur journal du matin. Une ganache. À soixante-quatre ans, le maréchal a encore fière allure, il porte beau, mais il est ombrageux, autoritaire, peu doué pour la politique; il est plus à l'aise sur des arçons que dans un fauteuil de ministre; il va bravement prouver son incompétence. Il ne sera pas le seul.

Malgré l'intense activité développée par Churchill, les premières semaines de la guerre sont militairement désastreuses pour les troupes franco-britanniques. Les Français s'épuisent dans une coûteuse offensive en Lorraine; les Allemands déferlent vers l'ouest à travers les

Ardennes dans un mouvement de faux funeste. Les villes belges, Liège, Namur, Mons, tombent l'une après l'autre. La campagne d'août 1914 s'inaugure par ce qui ressemble à une vaste et piteuse retraite. Fin novembre, les pertes françaises et anglaises s'élèvent à un million d'hommes. On est enlisé dans une guerre d'usure. Déjà trois mois que ça dure ! C'est sans fin. Il faut sortir de cette impasse, créer la surprise en ouvrant une brèche, un autre front. Mais où ?

On songe d'abord à envahir l'Allemagne par une opération amphibie via la mer du Nord en partant de l'île de Borkum : non seulement c'est hasardeux mais il faudrait violer la neutralité de la Hollande et du Danemark. Non, la seule voie possible passe par la Méditerranée orientale : Salonique au nord-est de la Grèce, la Syrie, Gallipoli, les Dardanelles… Voilà la solution ! L'Empire ottoman, allié de l'Allemagne, et qui menace les Russes à leurs frontières, est vacillant. C'est le maillon faible de l'Axe !

Il ne faut pas compter sur les Grecs. Le roi Constantin est un mou, plus proche de la Triplice que de l'Entente, peu enclin à mécontenter ses deux dragons : son épouse, la reine Sophie, qui est la petite-fille du Kaiser, et son vizir, Venizelos. Bah ! même sans eux, *it seems the right thing to do*, et quand on aura pris Constantinople… Il suffit de relire Napoléon : l'Hellespont, c'est la voie royale !

À la mi-janvier 1915, l'opération est approuvée par le Conseil supérieur de la guerre. Personne ne se demande vraiment comment la flotte franco-britannique pourrait « prendre » la péninsule et « tenir » Constantinople. Anéantir les fortins des Détroits est une chose, occuper la Turquie en est une autre. Qu'importe ! Au War Office, Balfour et Kitchener sont enthousiastes. Asquith hésite – il hésite toujours –, avec cette pointe d'accent du Yorkshire qui affleure sous les « hum ! hum ! » de Balliol College. Winston, c'est tout le contraire : c'est oui ou c'est non ! à gauche ou à droite ! avancez ou reculez ! il faut prendre une décision. La bonne, si possible. Assez tergiversé ! La seule façon de finir une guerre, c'est de la gagner, non ? D'abord réticent, Churchill devient le défenseur le plus ardent de l'opération des Dardanelles. Son premier lord, l'amiral Fisher, soupe au lait, menace chaque jour de démissionner, Winston le retient par la manche. Encore une erreur.

Une mauvaise analyse de la situation, du terrain et de l'ennemi conduit les Britanniques à n'engager d'abord que leurs forces navales, perdant ainsi tout effet de surprise. C'est une grave bêtise. L'assaut terrestre, trop tardif, permet aux

Turcs de renforcer leurs défenses et de préparer leur riposte. Aucune planification logistique – hormis la retraite – ne sera menée convenablement, laissant des troupes dans une situation matérielle et sanitaire catastrophique. Les offensives isolées ne sont pas exploitées par les généraux qui s'acharnent à conduire des attaques frontales et inefficaces, comme sur le front de l'ouest. C'est un désastre. Cent quarante-sept mille morts, quatre-vingt-dix-sept mille blessés. Les soldats sont décimés par la dysenterie et le typhus. On a en outre perdu trois cuirassés dont *L'Inflexible* et *L'Irrésistible*, si mal nommés, ce qui fait très mauvaise impression. Les palinodies, le manque de préparation, l'absence de coordination dans la chaîne de commandement, les défaillances des services de renseignement, l'incompétence des chefs sur le terrain et le mauvais temps causent la ruine de l'opération. La presse se déchaîne. Winston est acculé à la démission. Cette fois, il a marché sur une guêpe.

Le 23 mai, Churchill est remplacé par Arthur Balfour à l'Amirauté. Viré ! On lui fait payer l'aventure tragique des Dardanelles dont tous les membres du Cabinet – lui pas plus mais pas moins qu'un autre – sont responsables. Le roi George n'est pas mécontent que ce petit arriviste de Winston soit évincé du gouvernement. Grande gueule, ministre le plus exposé et le plus controversé, il fait un bouc émissaire idéal. Parmi ses collègues, certains se taisent, d'autres l'accablent. Beaucoup rient sous cape. Tous s'éloignent. Il expie.

Quant au Premier, Asquith, *dear Henry*, Winston ne peut feindre de s'étonner de sa lâcheté et de sa faiblesse : il ne lèvera pas le petit doigt pour sauver son ministre qu'il apprécie pourtant ; il ne songe qu'à une chose : conserver son maroquin le plus longtemps possible. D'ailleurs, le Premier a la tête ailleurs, il est amoureux, et semble moins préoccupé par la guerre que par sa très jeune fiancée, Venetia, à qui il écrit des lettres tendres pendant les réunions du Cabinet. Il paraît qu'elle vient de rompre, il est dans les affres.

Viré ! Winston a beau se répéter que c'est injuste, que c'est incompréhensible, il est piqué au vif dans son orgueil. Sa vanité souffre aussi. L'orgueil, l'orgueil ! ce n'est qu'un blâme perpétuel, assez décevant à la longue ; la vanité est une *jouissance*. Il y a la jouissance, qui est une douleur voulue, et la douleur – à l'extrémité de soi, presque hors de soi –, qui est une jouissance impossible à désirer.

Avec cela, on forme un nouveau Cabinet en

offrant une place de choix à deux de ses plus farouches adversaires politiques, les Unionistes[1] Edward Carson et Bonar Law – un avocat comme son nom l'indique, une teigne ! Il ne manquait plus que ça ! Il enrage. La guerre continue, la guerre se prolonge en lui, contre lui. Les chiens sont lâchés, le sien s'apprête à lui dévorer le cœur, sale bête.

Dans la presse conservatrice, l'amiral Fisher qu'il avait lui-même appelé à ses côtés, à l'Amirauté, se déchaîne contre Winston en prétendant qu'il représentait « un danger pour le pays ». Un danger, lui, Churchill ? Sont-ils devenus fous ? Bon Dieu ! on est en guerre avec l'Allemagne, non ? Winston a la faiblesse de croire qu'on ne peut gagner la guerre sans lui. N'est-il pas le ministre le plus loyal, le plus compétent, le plus déterminé ? N'est-il pas le meilleur soldat de l'empire ? N'est-il pas Winston Churchill ?

Il se croyait intouchable. Il s'effondre d'un coup. Il se sent abandonné, trahi. Sacrifié. Son amie Violet, qui a le mérite de lui être restée fidèle – elle est la propre fille d'Asquith –, en est effrayée. Elle ne reconnaît pas son cher Winston.

---

1. Unionistes : les partisans, en Angleterre et en Irlande du Nord, du maintien partiel ou total de l'Irlande dans le Royaume-Uni.

197

C'est un homme brisé. Perdu. Une bouillie de songes épars et de remords.

Churchill reste assis pendant des heures du soir au matin – immobile, hagard, muet. Lui, muet ? Il se perd dans ses pensées. Il broie du noir. Se souvient-il de lord Byron qui, comme lui, tomba jadis dans une bataille absurde contre les Ottomans ? Quelle erreur a-t-il commise ? Y a-t-il une faille dans son caractère ? Une disgrâce inhérente à sa race ? Il songe à son père, lord Randolph. Ce vieux bonze n'avait-il pas au fond raison de traiter son fils d'incapable ?

Malgré lui, Winston remâche sans fin la méchanceté paternelle, la malédiction qu'il avait refoulée et qui réaffleure d'un coup avec son cortège de frayeurs et de regrets inutiles. Pourquoi ne se sont-ils jamais parlé ? Pourquoi son père ne l'a-t-il jamais pris dans ses bras ? Il n'y avait jamais vraiment songé jusque-là. C'est ce qui lui manque à cette heure précise. À son âge ! C'est idiot. C'est ce qui lui manquera toujours. Est-ce qu'il pleure ? Mais non, voyons, c'est la fumée de son foutu cigare qui lui a léché l'œil. D'ailleurs, il n'a jamais su pleurer, sauf devant la foule, quand les circonstances l'exigent.

Dans les jours qui suivent son renvoi du Cabinet, Winston connaît la rage, la honte, l'humiliation. Ce n'est pas la première fois. Oui, il la connaît bien, il la reconnaît, cette douleur – c'est son oreiller, c'est son secret ; il en détecte les signes – ce frisson qui glace les membres et paralyse le cerveau, le rouge au front, les mains moites, les jambes qui flageolent. En public, il en ravale l'impossible aveu – avec un sourire pâle qu'il oppose, vaincu, à la commisération générale.

Enfin le hussard tremble, le lion a peur. Churchill, dont chacun a toujours salué le courage, se cache. Il est sans défense devant cet ennemi invisible. Sa vieille terreur va l'anéantir, il le sait, il ne la craint plus puisqu'elle est là, il la regarde, il sent la gueule tiède de la bête, son poil qui se hérisse – le *Black dog* s'est réveillé ! L'inaction, l'impuissance, l'ennui. Le vide – ce vide qu'il y a dans l'action même, il était déjà en lui, il y a toujours été. On ne le sait qu'après. Ce qui est là et sur quoi, soudain, il n'a plus de prise emplit l'avenir d'une eau morne qui l'éloigne de la rive et le sépare de tout ce qu'il a cru vivre et posséder. Winston erre pendant des heures dans sa chambre en pyjama, le cigare éteint, l'œil morne. Il se saoule à mort, non pour oublier mais pour se ressouvenir.

Il a tout raté, comme son père le lui avait prédit, comme son père lui-même, déchu par sa faute et qui ne s'est jamais remis d'un échec – voulu, désiré, rêvé peut-être. Son pire ennemi, ce n'était pas le Boche, c'était lui-même, il l'a toujours su. La gloire des Marlborough s'éteint avec lui. C'est une comédie qui finit mal. Une farce dont il est le héros. Rideau !

Plus tard, beaucoup plus tard, Clemmie dira : « Les Dardanelles. J'ai pensé que ça lui briserait le cœur. » Tout à coup, à quarante ans, Winston se sent vieux. Aigri. Déprimé. Il était prêt à tout, il n'est plus bon à rien. Il ne songe plus qu'à dormir, la tête enfouie sous le traversin, mais il ne parvient pas à trouver le sommeil. Est-il possible que la lucidité, ce soit ce délire morbide mêlé de stupeur ? Il faut s'entraîner, mais en vain, à la répugnance raisonnée de ce qu'il a perdu. Le pouvoir n'est-il qu'une illusion ? Non, il refuse de le croire, il a seulement honte. La honte, l'envers obscur de l'honneur. Il lui manque encore quelques dégoûts subsidiaires. Il a toute une vie pour les trouver.

Réfugié à Hoe Farm, dans le Surrey, il se met à peindre – heureusement, il y a la peinture, une école de patience et d'oubli. Parfois, il contemple ses doigts maculés d'ocre et de vermillon, il croit voir du sang séché. On lui offre une position subalterne, chancelier du duché de Lancastre. Une sinécure. Il n'a pas le choix. Il accepte à contrecœur. Peu de gens savent être vieux, il va devoir apprendre à se contempler. Vivre au jour le jour, boire les heures, les années à mesure qu'elles s'écoulent, éponger le temps. Dites-leur que je suis mort…

13.

Chérie, je me sens rajeunir !

En France, sur le front de l'ouest,
hiver-printemps 1916

I'm fond of fire, and crickets and all that
A lobster salad, and champagne and chat[1].

Lord Byron

---

1. « J'aime le feu, les grillons et tout ce qui va avec/ Une salade de homard, du champagne, et un brin de causette. »

Rares sont ceux qui ont vécu la sauvagerie des batailles à Ypres, à Loos ou à Passchendaele, comme une cure de jouvence et d'oubli. Une absinthe ! Winston est de ceux-là. Fin novembre 1915, le commandant de réserve Churchill accoste à Boulogne. Le premier jour de l'an 1916, il est nommé lieutenant-colonel et reçoit le commandement du 6ᵉ Royal Scots Fusiliers, stationné en Flandre française, sur le front de l'ouest. Il n'est pas si amer de quitter Londres, de claquer la porte au nez de tous ces ronds-de-cuir de l'état-major, Haig, Robertson et consorts, qui restent au chaud, enfermés dans leur cabinet à la noix, et qui font encore la guerre comme au Moyen Âge avec des piques. Ils ne croient ni aux avions ni aux tanks, ces imbéciles ! En ce moment d'ailleurs, leur principal souci, à l'heure du thé, c'est de savoir qui sera le prochain vice-roi des Indes !

Winston va prendre l'air, il fuit moins ses détracteurs qu'il ne s'arrache à l'ennui, à la dépression, à la rancœur envers lui-même. Le Chien noir ne sera pas du voyage ! Ouste ! à la niche ! Winston part en vacances, loin de la politique, loin de soi, et il ne cache pas sa joie. Ses amis le croient fou – pas que ses amis. Clemmie, de nouveau enceinte, se ronge les ongles. Il se sent libre. Elle sait que si Winston n'est pas tué ou pire, estropié, il sera guéri de sa défaite, même si c'est absurde. Elle l'accepte, elle accepte tout. À son arrivée en France, il dîne avec le général William Furse, le chef d'état-major de la Force expéditionnaire britannique, qui a servi dans la Seconde Guerre des Boers en Afrique du Sud et le reçoit avec chaleur à son quartier général, à Merris, près de Saint-Omer. Champagne, messieurs !

Winston est d'abord affecté au 2e bataillon de grenadiers, stationné à Merville, près d'Armentières, puis il rejoint son bataillon – des Écossais, les Jocks, *en majorité des mineurs et des paysans venus des Basses-Terres. Il a désormais sous ses ordres sept cents hommes et une trentaine d'officiers, pour de vrai, en chair et en os. Des morts en sursis. Des épaves, de pauvres hères, avec une âme et de grosses mains. Tartempions en Iliade.*

206

La Flandre. Des chemins boueux, des champs détrempés, des fermes isolées. C'est lugubre – on dirait une friche noire du jeune Van Gogh avant que les cyprès de Provence ne lui deviennent des chevelures et des brasiers, mais qui connaît ce Van Gogh ! Depuis des mois, les hommes ont appris à ramper, à s'accroupir, à se taire, même pour chier, oui madame ! Pour survivre. Ça ne suffit pas toujours. Récemment, ils ont subi des pertes sévères du côté de Loos et d'Armentières ; ils ont peur, ils ont faim, ils ont froid ; ils en ont marre. Des poux, de la pluie, des plaies. Et des hurlements. *It's a long way to Tipperary,* tu parles ! Ils sont las de devoir disputer leur pitance aux rats qui les attaquent dans leur sommeil ; un vent de fronde et de dégoût court dans les rangs. Si Winston est d'humeur alerte, l'accueil qui lui est réservé est plutôt froid.

Devant un parterre de soldats hébétés, le colonel Churchill fait une entrée en scène grandiose, à cheval, escorté d'une file de cantines remplies de victuailles et de bonnes bouteilles, d'une lessiveuse – son tub – et d'une bouilloire géante. À la guerre comme à la guerre, *gentlemen* – mais le bain chaud, sachez-le, est excellent pour le moral du soldat en campagne ! «Biglez un peu le mylord, les gars !…» C'est de Guiche au siège

207

d'Arras : «Est-ce que vous croyez que je mange vos restes ?...» Un condottiere chez les *Tommies*! Il a aussi un tastevin en argent et une provision de bougies – comment croyez-vous qu'on chauffe le cognac ?

Aussitôt, Winston passe les troupes en revue, avec un jeune adjudant, Andrew Gibb. C'est une pantalonnade. Les hommes se mettent au garde-à-vous, le fusil à l'épaule. «Fixez vos baïonnettes !» lance Winston avec entrain. C'est la panique ! Quelques-uns s'exécutent, les yeux ronds; d'autres hésitent, murmurent, épient leur voisin; le gros de la troupe reste immobile. Gibb, gêné, lui murmure à l'oreille : «Dites d'abord : À vos armes !» – le code de commandement en usage dans l'infanterie n'est pas celui de la cavalerie. Winston émet en grommelant un second ordre qui n'est pas mieux compris des soldats. *Damn it!* De nouveau, Gibb vient à sa rescousse. Ce n'est pas gagné.

Winston est disposé à apprendre. Ce n'est pas un tire-au-flanc. En quelques jours, il acquiert la rude grammaire des tranchées et s'accoutume aux usages de la troupe. Il se met la tête dans le jus. Trois fois par jour, le cigare inhérent aux lèvres, il fait sa tournée d'inspection dans le boyau, long d'un kilomètre, insoucieux des intempéries et des bombardements. Il est curieux de tout et de chacun : il ne s'informe pas uniquement auprès des officiers, il se penche sur les hommes. Il ne se contente pas de demander au pioupiou si la soupe est bonne ou de partager une pincée de gris avec les fumeurs, il les écoute. Tous ne parlent pas l'anglais de la BBC, beaucoup baragouinent une sorte d'anglo-gaélique dont les sonorités âpres et rocailleuses l'enchantent.

Très vite, il propose à son bataillon les réformes qu'il juge nécessaires, il change toutes les règles. Parce que c'est son devoir, sa mission, sa manie. Parce que le temps presse, là ! *Because it's fun and because it's the right thing to do*?... C'est un peu ça. Gibb dira plus tard : « Je haïssais la guerre. Lui, il jubilait. »

Winston veut à tout prix améliorer l'ordinaire du soldat – une galimafrée de fayots et de mouton froid ! Il fourmille d'idées ingénieuses parfois un peu folles, de trouvailles, d'expédients, avec des lubies soudaines dans l'aménagement de la palissade, de la tranchée, des talus, des bastions, des saillants, des latrines, des cagnas – ces clapiers où dorment les hommes. « Ces sacs de sable, pourquoi comme ci, et pourquoi pas comme ça ?... » Winston a l'âme d'un charpentier, avec un penchant pour le gros œuvre. Et depuis son enfance, la maçonnerie, les cabanes, les châteaux de sable, c'est sa passion.

Puis il organise des concerts, des jeux, des spectacles utiles et qui paraissent merveilleux, avec des frusques et trois bouts de chandelle. On boit des grogs, on chante des ballades écossaises, on brûle en effigie le Kaiser dans un feu de joie. Avant lui, personne ne s'était soucié de leur offrir un peu de réconfort, à ces pauvres diables. Il institue même un cycle de conférences sur l'art de la guerre de l'Antiquité à nos jours, en variant les thèmes. Par exemple : le *Pulex irritans*, oui la puce, messieurs ! On sait que ce siphanoptère parasite, avide de sang humain, suscite des papules sur la peau du soldat, ce héros, auquel on déconseille formellement de se gratter avec des mains sales, compris ?... Ses Écossais ignorent tout de l'*Epitoma rei militaris* de Végèce et du *Strategicon* de Maurice Ier, ce sont de graves lacunes auxquelles il convient de remédier. *Gladium stringere !* Sortez vos glaives !... Chaque conférence s'accompagne d'une séance d'épouillage collectif au son de la flûte, infiniment plus gaie que l'harmonica. Avec un rictus de sorcière gagnée par la modestie, le tribun harangue sa légion : «La guerre est déclarée, *gentlemen* – contre les poux !» Quant aux rats, je vous en prie, n'en dites pas trop de mal, les gars, ils participent de la voirie, ces aimables fossoyeurs nous débarrassent des morts avec leurs dents.

Tour à tour draconien et douillet envers lui-même, il leur révèle ses petits secrets : «Gardez-vous une paire de godillots pour dormir. Ne les recouvrez pas de boue, sauf en cas de nécessité. Buvez de l'alcool avec modération. Je ne veux pas d'une farandole de poivrots le soir dans la tranchée, *okay chaps*?» Aux officiers, il recommande : «Riez un peu et apprenez à rire à vos hommes. Il faut de l'humour sous la mitraille. La guerre est un jeu qui se pratique avec le sourire. Si vous êtes incapables de sourire, grimacez. Si vous êtes incapables de grimacer, écartez-vous jusqu'à ce que vous ayez appris.» Est-il ridicule? N'est-ce pas trop subtil? Si certains s'esclaffent, beaucoup, mi-ahuris mi-rêveurs, finissent par se rendre à son imagination.

Winston a adopté le casque du poilu français – un cadeau personnel de son ami Clemenceau. Avec son mackintosh et ses bottes d'égoutier, une lampe-torche en bandoulière, vêtu comme l'as de pique, il nage dans la gadoue comme un poisson dans l'eau. Il s'adapte, il s'improvise, il se perfectionne et, comme d'habitude, il entraîne les autres dans le sillage de ses fictions. Et si parfois il déconne gravement, son sens pratique compense ses tocades; son humour fait des merveilles. On est ébahi par son sang-froid. Il se montre juste, généreux, et cruel puisqu'il le faut.

211

Il devient l'homme le plus populaire du bataillon, on placarde sa photo dans les abris, il est devenu leur champion, leur mascotte. Pour lui, ce sont des grandes vacances.

Sur les murs de Londres, c'est le maréchal Kitchener qu'on affiche, le doigt pointé en avant : *« Britons, Lord Kitchener wants you. Join your country's army ! God save the King. »* Le 6 juin, la nouvelle éclate comme une bombe. Kitchener est mort noyé. Son navire a sauté sur une mine dans les Orcades. Pas de survivants. Décidément, tout va mal pour l'Angleterre et pour Winston. Une enquête parlementaire était en passe d'établir la lourde responsabilité de Kitchener dans l'affaire des Dardanelles et de disculper en partie Winston qui a servi de bouc émissaire. Il ne serait pas décent désormais d'accuser Kitchener et de larder sa réputation d'un coup de poignard posthume. Lloyd George lui succède au War Office, ouille !

Et les hommes tombent comme des mouches. Et les coquelicots fleurissent entre les croix de bois. En juillet 1916, quatre-vingt mille Anglais sont tués, en un jour, dans la vallée de l'Ancre. À la fin des hostilités, les pertes britanniques s'élèveront à quatre cent quatre-vingt-deux mille hommes.

Un matin, Winston part en patrouille. À la tête

d'une colonne de highlanders, il s'avance parmi les champs désertés en direction du village de Ploegsteert. Une crotte de mouche sur la carte. Sur la route, plusieurs hommes sont fauchés par des tirs de mitrailleuses et des obus épars. À la tombée de la nuit, les canons tonnent encore dans le lointain, le ciel se rature de lueurs toxiques. Vidé, fourbu, il décide de se reposer pendant quelques heures dans un couvent à demi en ruine appartenant aux sœurs de la Charité. Nous sommes le 24 janvier 1916. C'est le vingt et unième anniversaire de la mort de son père.

Il écrit à sa mère : « Ma chère Maman, j'ai rêvé de mon père cette nuit. Je me suis demandé ce qu'il penserait de tout ça. Tu sais, je ne doute pas de faire ce qu'il faut. » *Good boy!* À Clementine, il écrit : « Mon petit chaton d'amour, je suis comme un coq en pâte. J'ai une vue imprenable sur la campagne, à trois kilomètres des lignes allemandes. De ma fenêtre, à l'Amirauté, je n'aurais jamais vu ça : deux cochonnets qui jouent à cache-cache dans un trou d'obus… N'oublie pas de m'envoyer une serviette de bain et deux paires de chaussettes, s'il te plaît ! » Les cochons et les enfants, ça l'émeut toujours.

Soudain, plus un bruit. Le silence est tombé sur sa nuit comme une hache. La nuit sèche le sang. La boue mange les bottes. Les cygnes de son enfance à Blenheim glissent en lui sur un lac immobile. Il est éreinté. Il boit sa fatigue. On dirait un enfant qui tête. Il songe malgré lui aux petits seins et aux cuisses de sa femme, ses doigts débouclent son ceinturon, son poignet lui arrache un cri bref. Il est emporté. Il coule lentement, comme un fromage. Il s'endort. Il ne répudie pas la nature, il ne repousse pas cette forme bestiale qu'adopte parfois le bonheur.

Il n'y avait pas fait attention jusque-là, il n'y a plus un jardin, plus un oiseau qui chante dans ce pays, mais il reste quelques poules. Au matin, deux ombres furtives s'approchent de son lit, il saisit son pistolet, mais non, ce sont les deux bonnes sœurs qui veillent jalousement sur la chapelle du couvent et qui lui apportent des œufs frais. Ça alors, les poules du couvent couvent, c'est épatant, la langue française !

Il y a ceux que la guerre brise ou qui deviennent fous devant l'immonde boucherie. Lui, non, il se requinque. Il revit. Il se réaccointe avec l'humanité. Il parade. Il pète le feu. Du front, il écrit encore à Clemmie : « De la crasse et des détritus partout, des tombes éparses au milieu du périmètre défensif, avec des pieds et des lambeaux de vêtements qui émergent du sol, de l'eau et de la boue de tous côtés », et cela, « sous le fracas ininterrompu des mitrailleuses et le sifflement des balles qui passent au-dessus de nos têtes». Il avoue : «Au milieu de ce décor, malgré le froid, l'humidité et toutes sortes d'inconforts mineurs, j'ai trouvé un bonheur et un contentement que je n'avais pas connus depuis des mois... Sais-tu que je me sens rajeunir ? Nous avons été bombardés ce matin. Cela ne m'a pas causé la moindre inquiétude.» Il croit la rassurer.

Autour de lui, c'est l'hécatombe. Intouché par le cloaque qui l'environne, Winston affiche une provocante sérénité. Quelques-uns se souviendront plus tard de ce luron hilare qui, sous les balles ou dans le *no man's land*, semblait se rendre à un bal masqué, portant son casque comme un heaume, quand il n'arborait pas un gibus. Pas question de ramper sous les balles, ni même de se mettre à couvert : «C'est foutrement inutile, mon vieux, il y a longtemps que la balle t'a dépassé.»

D'où lui vient cette souveraine indifférence, ce dédain envers le feu ennemi ? Il a maintes fois éprouvé cette euphorie, cette ivresse – à Malakand, à Omdurman, à Ladysmith ! Ça coule dans ses veines comme un poison. C'est lumineux. C'est féroce. La mort n'est rien. Juste un mauvais moment à passer – à trépasser ! Un incident, à l'échelle de l'univers. «À la guerre, qui est une forme plus intense de la vie, le hasard ôte tous ses

215

masques et se présente ouvertement comme l'arbitre suprême des hommes et des événements. Vous mettant en route le matin, vous oubliez vos allumettes ; au bout de cent mètres, vous faites demi-tour, évitant ainsi l'obus qui a parcouru quinze kilomètres pour vous rencontrer. Vous restez en arrière une demi-minute de plus pour présenter vos respects à un officier étranger qui vient d'arriver à l'improviste ; un autre homme prend votre place dans le boyau de communication. Boum ! Il est mort. Marchez à droite d'un arbre donné, et vous poursuivez votre chemin jusqu'à prendre le commandement d'un corps d'armée ; marchez à gauche du même arbre, et vous rentrerez chez vous mutilé ou paralysé pour la vie. » Winston parle d'expérience. Il n'est pas superstitieux : si la patte de lapin est un porte-bonheur, expliquez-moi donc ce qui est arrivé au lapin !...

Il faut savoir dormir. On se réveille frais et dispos... ou dans un monde meilleur ! Son pire ennemi, ce n'est pas le Boche, c'est l'inaction, l'ennui, l'impuissance – ce spleen ancestral que la guerre seule fait rentrer dans sa tanière. Ce qu'il veut, c'est servir son pays : il ne s'impose pas, il s'offre. Ce qui le fait le plus souffrir, c'est que l'avenir de la nation soit entre les mains de petits hommes – des hommes moins capables que lui.

Winston est plus désintéressé que ne le croient ses ennemis. Son ambition, ce n'est pas d'obtenir une place, c'est de conduire la guerre, comme avant. Redevenir premier lord de l'Amirauté, oh oui ! Ministre de l'Armement ? Pourquoi pas, ce serait une étape. Premier ministre ?... Il faudra une autre guerre pour que son souhait s'accomplisse. Et que s'efface la malédiction paternelle. Et que cesse la disgrâce éphémère d'un chef.

14.

Une fine champagne, ah ! mes aïeux !

Un salon de l'hôtel de Paris à Monte-Carlo, octobre 1945

Donnez-moi juste les faits, Ashley, et je les tordrai dans le sens qui convient à ma petite démonstration.

W. C.

La Bête est morte dans sa forêt, ce n'est pas trop tôt. Depuis cinq longues années qu'il est Premier ministre, Winston n'a pensé qu'à ça. La victoire, il l'a voulue, il l'a personnifiée, il l'a mimée, en public ou en secret, dans l'intimité de ses nuits blanches. C'est fini ! C'est bizarre. Il devrait en être heureux. Il se sent plus que las, veuf, vidé de tout désir. Il a joué, il a gagné. Hitler a perdu, il s'est immolé dans son bunker, ça ce n'est pas du jeu ! Qui a gagné ? Le jour où le Führer s'est suicidé, le 30 avril, des soldats soviétiques hissaient le drapeau rouge sur le toit du Reichstag...

Drôle d'année ! Début février, il participait à la conférence de Yalta avec ce pauvre Frank dont la mort à peine deux mois plus tard a fait pleurer l'Amérique entière et Staline : un marché de dupes. Il n'avait pas les bonnes cartes, ils ont joué leur partie en douce, dans son dos, sans lui. On a sacrifié la Pologne – pas que la Pologne ! Tous les Balkans, sauf la Grèce, seront sous la botte des bolcheviks, c'était écrit, il n'a rien pu faire. L'Oncle Joe rafle la mise. L'Europe est séparée en deux blocs : l'Est et l'Ouest. Les Russes et les Américains se partagent le monde, du moins ce qu'il en reste. L'Angleterre va perdre son empire – et l'Inde !... La faute à Gandhi, ce charlatan, ce fakir, cette vieille canaille ! La France aussi. C'est comme ça. Tout passe, comme le madrigal ou le fox-trot. En mai, la foule l'acclamait au balcon de Buckingham Palace, avec le roi George et la reine Mab. Aujourd'hui, il ne flaire que de mauvais présages à l'horizon.

C'est un triste rigodon, la paix, quand on y songe, vous ne trouvez pas ? Depuis Rome, depuis Charlemagne et le Saint Empire, la paix est une notion impériale, et quand les empires s'effondrent, les querelles des peuples renaissent, les barbares s'agitent, l'anarchie s'installe. Jusqu'à ce qu'un nouvel ordre s'impose. Il faudrait donc se réjouir qu'un Rideau de fer soit tombé sur l'Europe – et pourquoi pas un Mur à Berlin tant que vous y êtes ! Truman, ce binoclard, ce chapeau mou, n'a pas l'étoffe de Roosevelt mais il a réussi son coup – Hiroshima, on a beau dire, ça décourage la concurrence ! Ha !

Vive le Coca-Cola ! Vive le trombone et le Glenn Miller Orchestra ! Vive la guerre froide puisque c'est le nouveau nom de la paix !

Avec cela – qui pouvait l'imaginer ! – Winston a perdu les élections de juillet : les travaillistes obtiennent une majorité de quatre-vingts sièges au nouveau Parlement, les conservateurs sont au tapis. Quelle claque, mes aïeux ! Quelle désillusion pour son parti ! Mais il ne va pas se cacher derrière son petit doigt, il sait bien que c'est sa défaite à lui, rien qu'à lui. D'ailleurs, la preuve, après un long sommeil, le Chien noir des Marlborough est de nouveau à l'affût, il gronde, il montre ses vilaines dents. Assez ! Winston veut déjà sa revanche. La partie continue, Papa ! Bientôt il reviendra, il revient toujours. C'est un revenant.

C'est toujours pareil, on ne lui laisse pas finir le boulot ! La victoire n'est qu'un événement, la paix, *God's teeth !*, c'est un combat sans fin. Le problème, ce n'est pas l'Allemagne puisqu'elle est vaincue, ce sont les vainqueurs ! Cet été, à la conférence de Potsdam où il rêvait, présomptueusement, de s'offrir un petit bras de fer avec Staline, il a dû céder son fauteuil encore tiède à son successeur : Clement Attlee. Brave homme au demeurant mais enfin, sous son titre ronflant de vice-Premier ministre, il n'a quand même été qu'un collaborateur assez falot dans le Cabinet de coalition que Winston a dirigé pendant toute la durée de la guerre, non ? Winston était si sûr de remporter la bataille parlementaire à Londres qu'il a laissé tous ses bagages à Babelsberg, c'est malin…

Après la capitulation du Japon, Winston a souffert en silence que ce soit la voix nasillarde d'Attlee qui annonce à la TSF : « La guerre est finie. » Le père de la nation, c'est lui, non ? On l'expédie sur les bancs de l'opposition, on le met à l'écart, au piquet, comme au temps du collège. Dans son propre parti, on le trouve, comment dire, un peu trop populaire, c'est-à-dire : encombrant. Qu'il écrive, qu'il peigne, qu'il s'occupe enfin de sa femme et de ses enfants, mais qu'il nous fiche la paix, ce satrape !

Chérie, où as-tu mis mes pantoufles ?… Non, non et non ! ce n'est pas encore l'heure ! Il ne tarde pas à se rendre insupportable avec les siens qui le fuient tout en lui pardonnant sa mauvaise humeur et sa tristesse. « L'œuvre une fois accomplie, retire-toi : telle est la voie du ciel », dit le sage, mais le Tao, le non-agir, ce n'est pas la voie du bonheur et de la paix. Pas pour lui ! Clementine pense que ce n'est peut-être pas, après tout, une si mauvaise nouvelle, tu sais *darling*… C'est idiot ! Ce qui le tue, ce n'est ni le surmenage ni la déconvenue, c'est l'oisiveté. Un cigare éteint aux lèvres, il bâille en regardant *Le Magicien d'Oz* avec sa fille Mary et se console avec la Veuve Clicquot. La barbe ! À Londres, il suffoque. Ça ne peut pas durer.

« Bravo ! Vive Churchill ! »... Ce soir-là, dans un salon de l'hôtel de Paris à Monte-Carlo, les convives se lèvent et applaudissent longuement le « vieux lion » qui brandit sa canne comme un lasso et rugit de plaisir. Ici, au moins, il reste populaire. On entend un « Vive de Gaulle ! ». Winston hausse un sourcil et marmonne : « *Whatever !... comme il vous plaira. He's my good friend, you know.* » Il songe : « En France, j'aurais été réélu ! » La république adore les tyrans quand ils sont débonnaires.

La lumière est si douce sur la Riviera en septembre. Après un séjour dans une somptueuse villa prêtée par le maréchal Alexander, sur les rives du lac de Côme, il a eu envie de tenter sa chance à la roulette. Ça le démangeait, faute de pouvoir s'amuser avec des tanks et des soldats. Il a laissé sur la table du casino de Monte-Carlo un chèque de sept mille livres que le directeur de l'établissement – un fan ! – songe à encadrer en guise de souvenir. Winston a pris un sacré coup de soleil sur son crâne chauve de vieux poussin.

Dans la journée, il rêvasse au balcon, dans la suite royale du dernier étage, il boit son loisir forcé au goulot d'un ciel admirable. Pendant des heures, il reste béat devant les reflets d'argent que dessinent les vagues au loin, étourdi d'azur, bercé par la rumeur qui émane comme un parfum du boulevard ondulant sous sa frange de palmiers. Peindre non pas la profondeur mais l'effroi de la surface. Peut-être dans une autre vie...

De bonne grâce, Winston fait le « V » de la victoire et parvient même à sourire. Sa spécialité, c'était les bombes et les symboles, il lui reste les symboles. Il a emporté ses pinceaux, ses valets, sa fille Sarah, son costume de bain, ses secrétaires et son médecin, mais que fiche-t-il là ? Il aurait mieux fait de rester avec Clementine à la maison, à Hyde Park Street, à barboter dans sa baignoire. Pourquoi a-t-elle refusé de l'accompagner dans le Midi ? Avant de partir, Clementine lui a dit : « *I'd be glad to see the back of you.* Vous êtes un monstre, Pig ! » Depuis qu'il est rentré à la maison, ils ne cessent de se chamailler sans raison. Il regrette déjà d'être venu sur la Côte d'Azur, qu'il adore pourtant. Il s'ennuie. Il a renoncé au cognac sur l'ordre de son médecin, il l'a remplacé par le cointreau. Mais, à cette heure de la nuit, ce qu'il regrette, c'est : Hitler.

Winston broie du noir. Le seul mot qui lui

vient, c'est : «Non!» Le roi veut lui décerner l'ordre de la Jarretière. C'est hors de question. On l'a congédié comme un vulgaire domestique. Écrire ses Mémoires? C'est exclu. L'inquisition fiscale instaurée par les travaillistes lui confisquerait tous ses droits d'auteur. On l'invite en Australie et en Nouvelle-Zélande? À quoi bon tourner en rond dans une cage autour de la Terre! Il n'en a ni la force ni l'envie. Le prix Nobel de littérature? Ça, c'est cocasse mais pourquoi pas? Cuirassé dans sa mauvaise foi, il sait que sa bouderie ne va pas durer longtemps et qu'il finira par accepter toutes les propositions qui pleuvent sur lui. Mais plus tard.

À l'hôtel de Paris, le dîner s'éternise. Le couturier Edward Molyneux – dit « Captain Molyneux» –, qui a perdu un œil dans la bataille de la Somme en 1916, raconte joyeusement ses séances d'essayage avec Greta Garbo et Mistinguett. Winston l'écoute d'un œil morne, le nœud papillon en berne. Toute sa griserie est retombée. Il est fatigué du faste et de l'esbroufe; son emploi de convive et d'ours savant lui pèse. Le champagne, son fidèle compagnon dans la victoire comme dans la défaite, n'a aucun goût. Il n'est pas dans son assiette.

Après un dernier toast sous les lustres du salon Empire, alors que Winston songe à se retirer, un inconnu se faufile discrètement entre les tables et l'aborde en se râclant la gorge : «Excusez-moi, sir, puis-je vous parler un instant?...» L'homme est vêtu d'un gros tablier de drap gris-bleu avec une large poche sur le ventre. Il parle le français avec un fort accent du Midi. Indifférent aux dîneurs qui l'environnent, le visage grave comme s'il était chargé d'une mission de la plus haute importance, il se penche vers Winston qui tend l'oreille : «Voilà, en 40, quand les Allemands ont occupé la Principauté, j'ai pris sur moi de murer en secret une partie de la cave...» Winston écoute, plisse les yeux, soudain aussi attentif qu'un chat devant un quadrille de souris. «Ce soir, en votre honneur, j'ai l'intention de briser le mur et de vous faire une surprise. Voulez-vous m'accompagner, sir?» Winston bondit hors de son fauteuil : «Qu'on me donne une pelle et une pioche!» L'homme sourit : «Ce ne sera pas nécessaire, monsieur Ouinestonne.»

Les deux compères traversent un long dédale de couloirs et d'escaliers de plus en plus étroits jusqu'à la cave de l'hôtel, dix mètres sous terre. Soudain, une odeur aigrelette de mousse et d'acide acétique emplit leurs narines. Une délicieuse haleine de sous-bois. «Le bon vin, c'est d'abord l'assemblage du solaire et du caverneux. Nous avons ici plus de dix-huit mille cols», dit fièrement l'homme. Winston éternue de bonheur. La lumière jaune repousse les ombres sur les parois de la crypte, poudrées de salpêtre et tendues de toiles d'araignées. Ils avancent prudemment entre les foudres et les caisses de jéroboams en chuchotant comme des pilleurs de tombes devant des sarcophages. On n'y voit goutte.

« Nous y sommes. Regardez ! » Winston est décontenancé, il n'y a devant lui qu'un amas de bouteilles vides. « Mais si ! Regardez, derrière ce mur de verre… tout est caché là. Té ! C'est le pot aux roses, les Allemands non plus n'y ont vu que du feu ! » Un à un, l'homme expose d'une voix lente et triomphale la litanie de ses trésors : latour ! corton ! meursault ! eyquem ! haut-brion – « Ah ! le haut-brion ! Savez-vous que c'était le vin préféré de Jonathan Swift, l'auteur des *Voyages de Gulliver* ! » s'exclame Winston. « Hé bé, je l'ai pas lu mais j'ai vu le film, le *cartoune* américain, au Miramar, en 39, juste avant la guerre. Ils ont donné *Blanche-Neige* aussi, té ! la reine, elle fait peur, hein ! »

Mais Winston est soudain devenu sourd. L'homme serre dans ses bras une bouteille langée de paille ; il la dénude avec précaution, souffle sur l'étiquette à demi effacée, puis il l'offre à Winston. « Lisez, s'il vous plaît. – *Well !…* Fine champagne Napoléon, Roi de Rome 1811, Maison

Sazerac & Fils, Cognac… Ben, mon colon ! Venez que je vous embrasse ! On m'a interdit le cognac, vous savez, mais je crois que je vais faire une exception. Et vive l'Entente cordiale ! » Cette nuit-là, Winston s'endort, grisé de songes… le Roi de Rome… encore un qui avait du mal à parler avec Papa !

Rentré à Londres, Winston a repris du poil de la bête. Il harangue les citoyens de Woodford – *sa* circonscription –, les élèves de Harrow – *son* collège –, les anciens d'El-Alamein – *ses* camarades –, les animaux de la ferme de Chartwell – *son* manoir – et tous les députés de la Chambre – depuis *son* banc. Avant d'être opéré d'une hernie inguinale, il convoque l'anesthésiste : « Vous me réveillerez assez vite, s'il vous plaît, parce que j'ai du boulot ! »

Les élections approchent, elles approchent toujours et, cette fois, les travaillistes sont au plus bas. Une nuit, au début de 1950, tandis qu'il dicte un chapitre de ses Mémoires à sa secrétaire, il s'interrompt brusquement : « Un jour, je serai de nouveau Premier ministre, je le sens. Quoi, qu'avez-vous, mademoiselle ? Quand Gladstone a formé son dernier gouvernement, il avait quatre-vingt-trois ans. Alors ?… »

Winston relève la tête. Il ne va pas changer de méthode : il dort peu, boit comme un trou, fait le pitre à la tribune et met les rieurs de son côté. Il interpelle ses adversaires, il les récuse et les ridiculise plus qu'il n'argumente ; son ton est vif, souvent proche de l'invective. Il est nul en économie, il le sait ; réfractaire aux changements de société, il esquive, il opte pour la satire où il excelle. Avec un penchant pour l'oraculaire et le prophétique, ce qui l'éloigne de la prudence et obscurcit parfois son discernement.

Malgré un accident vasculaire cérébral qui altère désormais sa motricité et son élocution, il fait campagne sans relâche. L'avenir sent bon la rose et le lilas... Enfin, le 26 octobre 1951, Attlee remet sa démission au roi qui invite l'Honorable Winston Churchill à former le nouveau gouvernement. Il ne démissionnera que contraint et forcé, quatre ans plus tard, après une nouvelle attaque. Anthony Eden, son héritier spirituel, lui succède en avril 1955. En partant, Winston ne peut s'empêcher de lui décocher une flèche : « Je ne crois pas qu'Anthony va y arriver », prédit-il. « *That's not very nice*. N'est-ce pas un peu mesquin de votre part, *darling* ? » s'étonne Clementine.

15.

La mort lente

Chartwell, automne-hiver 1963

J'adore aussi quand vous vous promenez,
détaché soudain de tout, mais souriant encore.

Jean Giraudoux

Aujourd'hui, peut-être, Winston et son père pourraient-ils enfin se parler d'égal à égal, comme deux frères. *N'a-t-il pas enfin réalisé et même outrepassé les plus hautes espérances de lord Randolph jadis ? S'est-il guéri des fragilités qui le rendaient si infantile et si brutal ? Dans le vieillard grincheux et tyrannique subsiste l'enfant inapaisé, le sale gosse, le trublion candide. Sa vie n'est plus qu'une brioche dure dont il éparpille les miettes. Vieillir est un long dimanche – il exècre les dimanches.*

Chez lui, à Chartwell, Winston s'adonne à l'élevage : veaux, vaches, cochons, couvées. Il y perd sa chemise. En revanche – ah ! si tu les voyais, Papa ! –, Hyperion a fait la nique aux pégases de l'écurie de la reine, à Epsom ; Colonist II a triomphé à Oaks. Chers trésors ! Mais de quoi est-il le plus fier ?... Il a appris depuis belle lurette à manier la truelle et à élever un mur de briques.

Assuré de soi et de ses penchants, fantasque comme son père, il se fiche d'entrer dans le rang. Il se ressemble. Un irrégulier dans le siècle. Un païen fervent et obstiné. Un fier vivant. Exister, rire, renaître, comme un nageur qui se hisse hors de l'eau pour ne pas suffoquer – riant, aveugle, animal. Dieu sait qu'il a eu la volonté de s'accomplir, de surmonter ses crises, de museler le Chien noir – mais il revenait toujours, ce sale clébard, lécher ses nuits, mordre son sommeil, infecter ses rêves de ses crocs de fouine. Il a eu ce don, cette énergie féroce, ce courage : changer de peau. Quoi qu'il en coûte.

*Vivre! Il a toujours su, par éducation et par instinct. Sans retenue. Il s'engage de même, au feeling, par une poussée de tout son être plutôt que par amour des idées. Winston n'est pas un méditatif, encore moins une «belle âme» ou un intellectuel – il déteste les intellectuels qui le lui rendent bien. Il confond l'idée avec la sensation, et il ne s'en défend guère. «*Churchill appeals to the man in the street*», disait-on de lui. Ce fut sa joie. Il y a des hommes politiques qui suscitent autour d'eux une sorte d'énergie, de chaleur spontanée et de combustion – la confiance populaire. Il est de ceux-là. Tout feu, tout flamme. Même si, paternel avec la foule et oublieux des*

siens, il éblouit plus qu'il ne réchauffe. Vaincre !
À ce jeu s'est consumé le meilleur de sa vie.

Comment vivre sans se brûler le sang ? Win-
ston a brûlé – les planches, les étapes, les
cigares, les cartouches, les villes Le Havre !
Brest ! Grenoble ! Cologne ! Dresde !... L'hor-
reur. Plusieurs fois, il a contemplé la mort en
face, celle des autres, la sienne aussi. Il lui a
toujours échappé, parfois d'un cheveu, empor-
tant avec lui le feu qui prenait à ses habits et la
musique des balles qui sifflaient à ses oreilles. On
veut nous faire croire que la guerre n'est jamais
une solution, foutaises ! c'est la seule solution. *Et*
aujourd'hui ? C'est étrange, cette forme que sa
vie a prise – est-ce encore sa *vie ? Ça vous cuit à*
petit feu. Des souvenirs. Des miettes ! L'inaction,
sa bête noire, le dévore. Sa plus fidèle amie, la
chance, l'a-t-elle quitté ? Il avait toujours pensé
mourir tôt comme son père ; il va avoir quatre-
vingt-dix ans.

L'une des oies s'est échappée de son enclos
cette nuit. Quoi, qu'est-ce qu'on apprend, le
Premier ministre Macmillan vient de démissionner ! Déjà ? Décidément, on ne peut pas leur faire
confiance, cette nouvelle génération n'a pas de
suite dans les idées. Aucune santé ! Churchill

veut se rendre à la Chambre. Dans quelques jours, il fêtera son anniversaire, bah ! lequel déjà ?... Il s'est assez bien remis de son nouvel accident vasculaire – compliqué d'une pneumonie et d'une jaunisse qu'on lui a cachées –, on lui farde la vérité, il le sait – mais son courage fond et ses forces l'abandonnent. Il a mauvaise mine pour un fermier.

Repu d'extases, l'œil morne, la casquette de traviole, il se souvient, il gravite, il songe, gros batracien échoué au bord d'une mare vide. Il parle aux arbres et aux poissons rouges. Il ne perd pas encore la boule mais il a la tremblote et ne parvient même plus à écrire de sa main. De ses deux occupations préférées, la guerre et le jardinage, il ne lui reste que la seconde, et encore ! Quand son médecin, lord Moran, l'examine – « Je n'ai pas peur de mourir... Dites-moi, Charles, comment les gens meurent-ils ?... » –, il refuse catégoriquement de poser son cigare ; il en fume huit par jour et il ne s'en porte pas plus mal, hein ! Winston ment, comme tous les fumeurs.

Il a le mal d'un pays qui n'existe plus : le sien. L'Empire britannique va disparaître. Le monde a changé. Grands événements, petits hommes. Après Kennedy, Johnson. Des pardessus gris succèdent à Khrouchtchev – ah ! le rusé moujik, ils ont dîné ensemble une fois à Downing Street, c'était en avril 1956, avec Eden et Boulganine, ils se sont soûlés comme des bourriques… La guerre continue – sans lui ; elle est froide. Et même glacée. Sans gloire. C'est la fin des temps périlleux. Nehru est mort. Roosevelt et Staline aussi. Il ne se sent guère mieux. Toute sa vie, Winston a mis deux fers au feu, oui il a une santé de fer, et il pète le feu depuis sa naissance, mais où sont passés le fer et le feu ?

Il est venu au monde en 1874, une nuit de bal à Blenheim – Jennie, qui ne refusait jamais de danser, accoucha prématurément dans une chambre du château, sur un lit de zibelines et de visons, ce qui rendit la soirée mémorable ! Cette année-là, l'Américain Joseph Gliden fait breveter son invention : le fil de fer barbelé – quelle trouvaille ! –, qui annonce la fin des libres pâturages et du métier de *cow-boy*. Lord Randolph vient d'être élu à la Chambre des communes, il a la tête ailleurs – déjà ! Profitant d'une querelle de succession dans le sultanat de Perak, les Anglais assoient leur autorité en Malaisie par le traité de Pangkor. Le second traité de Saigon établit la souveraineté française sur les provinces du sud de l'Annam, ouvrant une voie commerciale vers la Chine via le fleuve Rouge et le port de Hanoï. Aux États-Unis, les guerres indiennes se poursuivent avec la campagne menée par les généraux Sherman et

Sheridan dans les plaines du sud de l'Oklahoma :
la *Red River War*. La reine Victoria est assise sur
le trône d'Angleterre pour l'éternité.

Winston ne reconnaît pas le monde, *son*
monde. Les batailles sont devenues idéologiques.
Il a toujours détesté ça. Il n'a que mépris pour ces
intelligences imperturbables, papes des orthodo-
xies mineures et princes des systèmes suffisants.
Ils expliquent tout mais ils ne comprennent rien.
Ils vous jugent mais ils récusent pour eux-mêmes
tous les tribunaux du monde, comme si leurs
échecs ne les concernaient pas. Et, quand ils se
trompent, c'est que l'Histoire était moins intelli-
gente qu'eux. Quand on se nourrit de certitudes,
c'est qu'on veut maintenir la vie à distance, c'est
tout ! Ces gens-là font de la politique comme on
prend des tranquillisants.

Winston se fait une autre idée de l'Homme,
c'est-à-dire de soi. Il le voit responsable – être
responsable, c'est répondre –, combattant, toujours exposé aux objections et sujet à l'anxiété,
relié à la peine et à l'espoir des gens. Le scandale
– ou le mystère – ne réside pas dans la manifes-
tation du Mal mais dans une défaillance de ce
qu'on appelle le Bien. Le meilleur remède, c'est
toujours l'action, quel qu'en soit le prix, mais
rien n'est jamais gagné. Du flan, du bluff, de la
chance, quoi d'autre ?... On peut être stalinien

ou gaulliste, mais churchillien, c'est grotesque!
Mais non, Papa, que dis-tu?... *Nonsense! Shut
up, children!*

Qu'est-ce qu'une bénédiction? Dire le bien.
C'est un pari sur l'avenir, rien de plus, une
incantation, une promesse. Exemple : *« Victory,
victory at all costs, victory in spite of all terror,
victory, however long and hard the road may be ;
for without victory, there is no survival*[1]. » Le
13 mai 40, à la Chambre des communes, devant
toute la nation, ce qu'il a apporté, ce n'était pas
une preuve, c'était une bonne nouvelle. Il a fait
son métier d'ange. L'ange annonce. Quoi? La
victoire. Personne n'y croit, personne n'ose, sauf
lui. Non, vous n'êtes ni perdus ni maudits, vous
n'êtes pas inutiles, vous n'êtes pas sans courage. Je vous le dis parce que moi, je le sais, et
que vous êtes mal informés. Taisez-vous!
L'ange ne discute pas. Il croit et fait croire, sans
preuves, contre les preuves. Sa victoire est ver-
bale. Et c'est tout. En mai 40, à Londres, la victoire est un rêve, une illusion. En janvier 43, à
Casablanca, elle est devenue un but, un objectif

---

1. «La victoire, la victoire à tout prix, la victoire au
mépris de toutes terreurs, et que nous importe si le chemin
est long et difficile! Car sans la victoire, il n'y a aucune
survie possible.»

commun aux Alliés. Le 8 mai 45, à Berlin, elle est une réalité.

La politique a été sa seule religion. Il y croit encore. Se séparer, consentir à une bataille inutile avec un ennemi sans consistance et sans visage, qui n'est que soi-même au bout du compte, lutter avec la vérité en soi. Accepter le risque de l'égarement absolu. Inventer, non pas vérifier. Créer, non pas plier. Mourir?... Maintenant?... Non, c'est impossible, il n'est pas prêt, pas encore, il a mille choses à faire : il lui faut mettre un peu d'ordre à Chartwell, tailler les rosiers – il a un rendez-vous important demain avec Mr. Vincent, le chef-jardinier –, embrasser ses petits-enfants, s'occuper de ses chiens et de ses chevaux, répondre à ces dizaines de milliers de lettres envoyées du monde entier, achever ce maudit livre, il ne sait plus trop lequel. Il y a ce projet de vacances dans la villa de lord Beaverbrook, La Capponcina, au Cap-d'Ail, ou peut-être, pourquoi pas, une croisière à Corfou sur le yacht d'Ari Onassis, avec Clementine, non, ça non, il n'a plus la force, mais d'abord, il doit préparer son discours annuel devant les cadets de Sandhurst, il a aussi promis de visiter une école de filles à Chigwell, et puis les élections approchent, non?

Son esprit s'envole. Il envie la réclusion souveraine de Robinson Crusoé dans son île, pactisant avec des nonchalances de palmes et des immobilités bleues, s'essayant à l'aquarelle, partageant son repas avec un petit singe assis sur l'épaule –· Winston a toujours détesté dîner en solo –, puis relisant chaque soir le même journal à l'encre pâlie par le naufrage, toujours le même, avant de s'endormir, le cigare fumant sous la brise tiède.

La nature l'accable d'un vertige qui l'effraie, plus que le temps, plus que la profondeur des espaces infinis. Il n'en peint que le décor, la croûte : palmiers, dunes, rivages. La Côte d'Azur. L'Atlas marocain. Le Kent. Lacs, forêts, océans. Rien dans la mièvrerie de ses aquarelles et de ses crayons ne laisse deviner l'ombre d'un tourment. Son « impressionnisme » n'est qu'une ruse d'artiste, moins une façon de prendre le taureau par les cornes, à la manière de Picasso qu'il n'admire guère, qu'une tentative pour adoucir l'horreur des atomes. Il embellit ce qu'il touche. C'est un métier, ça ! L'absorption dans le paysage – la peinture, le jardinage, le *bird-watching* – est le meilleur remède à la dépression et à la vieillesse. Le paradis est un jardin. L'enfance est un pré. La peinture est un cercle…

Auprès de lui, il y a désormais toute une armée de médecins, d'infirmières, de gardes du corps. *Blast !* Il les envoie paître ; il fait l'enfant, il fait l'ancêtre. Les vieux peuvent tout se permettre parce que rien ne leur est plus permis. On voudrait lui faire croire qu'il est devenu sourd, c'est absurde, il a toujours choisi d'entendre, quand il en avait envie. On le sert – on l'a toujours servi –, Clemmie le dorlote mais, en vérité, elle le surveille. Plus on l'entoure, plus il se sent seul, mais cela, ce n'est pas nouveau. On le palpe, on le caresse, on l'admire, on lui ment. Il a envie de hurler. Il n'est pas dupe de leurs simagrées. Oui, plusieurs fois, au cours de sa jeunesse aventureuse, il s'est imaginé mort, mais finir en vieillard, ça, alors ça, il n'y avait pas pensé ! Retraité ? C'est ridicule. Et qu'on ne le bassine plus avec sa légende ! Le plus grand Anglais de l'histoire du xxᵉ siècle, *bollocks* ! Un vieux totem, oui ! Cuver sa solitude en initié, comme une grâce, ce n'est pas son genre. Il murmure, il médit de ces ignobles prouesses – pisser, boire, dormir... Son corps qui fut un temple est devenu une prison.

Pire, il contemple avec un égal dégoût la vérité et l'erreur ; il n'affecte pas de croire qu'on ne saurait les discerner mais il les confond dans un commun mépris. Morale, honneur, devoirs, les principes les plus sacrés comme les plus nobles sentiments ne sont plus qu'une espèce de rêve, de brillants et légers fantômes qui se jouent un moment dans ses pensées pour disparaître bientôt sans retour. Ses initiales : W. C. Pas besoin de vous faire un dessin. Aux cabinets !

Il lui a fallu de longs et persévérants efforts, une lutte acharnée de tout son être pour atteindre cette brutale insouciance : vivre. Tout cela pour aboutir à cet avilissement incompréhensible, à cet esprit affaissé pour lequel ignorer est devenu une joie ; il a perdu jusqu'au désir de connaître et, par un sursaut désespéré, met son orgueil dans cette ignorance même au lieu d'en faire le sujet d'un inconsolable gémissement. Ô mon Dieu ! Pourvu que son père ne le voie pas !

Ce qui lui manque : les joutes, les litiges, l'ivresse de rompre. Il ne s'est jamais leurré sur la politique, ni sur ses propres convictions : « Un bon politicien doit pouvoir prédire ce qui arrivera demain, la semaine prochaine, le mois prochain et l'année suivante ; après quoi, il doit encore être capable d'expliquer pourquoi rien de tout cela ne s'est produit », mais il a adoré ça, cette duperie, ce bonneteau, cette secousse de l'âme. Il doit reconnaître qu'il a mieux su faire avec les nazis qu'avec ses enfants ! Pourtant, il les a adorés, ces petits monstres, toujours prêt à construire un bonhomme de neige ou une cabane dans le jardin, à se déguiser en gorille à l'occasion d'une *birthday party*, enfin, quand il était à la maison. Pas souvent, c'est vrai, *my darlings* ! Avec son fils, Randolph junior,

surnommé le « *Chumbolly*[1] », Winston a été trop
indulgent. Il a eu bien trop peur de commettre la
même erreur que son père. Il a fait pire. Ce n'est
pas sa faute. Il a eu beau l'exhausser, l'investir,
l'aimer de tout son cœur, il l'a écrasé. Lui aussi,
pauvre garçon, il a son Chien noir...

Aujourd'hui, la seule victoire qui lui est per-
mise est secrète – rien de triomphal. C'est celle
d'un idiot qui, chaque matin, doit réapprendre
à marcher à petits pas, appuyé sur une canne en
soufflant comme une forge. La vieillesse est une
mort lente, et il déteste la lenteur. Toutes ces
misères, toutes ces saletés... Ce qui est odieux
quand on vieillit, c'est qu'on reste jeune ! Il fait
beau aujourd'hui et pourtant, blotti sous un plaid,
il tremble, il tressaille, à côté d'un verre de porto
oublié où se noie une guêpe. À la fin, c'est toujours le froid qui gagne. Comme la lumière est
belle ce matin ! C'est sûr, il n'y a pas d'autre
monde, non, pas aussi intéressant que celui-là !...
Elle ne se débrouille pas trop mal, la jeune Élisabeth ! La reine ne saurait faillir... Qu'est-ce
qu'on disait déjà ?...

---

1. Dans ce surnom, « *Chumbolly* », on entend : *chum* :
copain, camarade. Le chumbolly est aussi une fleur des montagnes qui pousse dans le nord-ouest de l'Inde, proche de
l'angélique et de la valériane. *Sumbol* : la jacinthe, en persan.

Ah! oui… il ne craint pas de s'en aller. Encore une fois, il se battra jusqu'au bout mais, dans cette guerre qu'il ne peut gagner, c'est quoi, le bout?… c'est quand?… Cette fois, il aura beau coaliser tous ses pions dans la bataille, il sera vaincu. C'est très contrariant, la défaite. Il s'assoupit devant son chevalet, tassé sur un pliant. Il ne sait plus dormir, il s'absente; il somnole à toute heure, comme un vieux. N'a-t-il pas été le connétable du royaume? Aujourd'hui, son pays, c'est la Terre. Même l'Angleterre s'éloigne… Finir jardinier et tyran, lord protecteur des mésanges et grand vizir des coccinelles, en divaguant sous un chapeau de paille, comme Napoléon, quelle pitié!

Toute sa vie, en secret, il a voulu réprimer ce revenant, ce faux frère, ce comparse : le dogue des Marlborough dont le sang noir coule dans ses veines et empoisonne ses nuits. Rappelez ce chien, ô mes ancêtres! Il a pourchassé comme un intrus le chagrin – tous les chagrins. Il n'a toléré le désespoir que comme une école d'ironie où il ne s'interdisait pas d'avoir un banc.

Mais ce n'est pas un chien, c'est une tortue qui fait les cent pas dans son cœur et qui nargue de son bec tous les lièvres de sa jeunesse.

Avec cela, on l'a mis à la diète – on veut le faire mourir de faim! Winston n'est pas un buveur de

247

thé. Au petit déjeuner, il a toujours préféré le vin blanc au lait condensé – cette boisson répugnante avec laquelle on empoisonne les bébés ! –, suivi d'un whisky coupé de soda. Il a un faible pour le Red Label de Johnny Walker, parce qu'il est doté d'un emblème jovial et rubicond et qu'il vante en John Bull un infatigable marcheur. Winston a conservé un solide coup de fourchette ; il s'insurge contre ces préjugés puritains qui répudient le gras, le sucre ou les mélanges, et qui n'engendrent que la monotonie. Jadis, il s'accordait volontiers un ou deux verres de vieux porto, d'abord en guise d'apéritif, puis en fin de repas, avec un stilton par exemple, son péché mignon. Est-ce qu'il apprécie le bordeaux ? Oui, mais il préfère déjeuner ou dîner au champagne – du Pol Roger, si possible, pas trop pétillant et vineux.

Un *roast beef* saignant accompagné de pommes de terre, précédé d'un plat de sole et suivi d'une bombe glacée, voilà un menu acceptable. Cela n'exclut pas quelques verres de cognac en toutes circonstances et pour finir, avant de se mettre au lit ou de prendre un bain, une ultime liqueur servie par son majordome sur un plateau d'argent. L'alcool, ça vous améliore la tronche, à force – il n'a pas changé de visage, il l'a inventé, comme Marilyn. Non merci, jamais de tisane !

Trop, c'est juste assez. La modération en tout le dégoûte, seul l'excès l'apaise. Aujourd'hui, il n'a même plus soif, c'est dire. Clementine ! Au secours, mon amour ! Le monde s'est vidé d'un coup de ses convoitises et de ses voluptés. Est-ce possible ? Où est en lui la furie de l'insecte, cette frénésie d'ailes et de dard qu'enchantaient toutes les odeurs ? Quel est cet oiseau qui s'égosille sur sa branche ? La nature est atroce. Au vrai, parvenu à l'extrême automne, privé de répertoire et d'auditeurs, sir Winston Leonard Spencer Churchill s'emmerde gravement. Sa terreur, c'est de finir comme son père, un pantin, et de sombrer en délirant dans un trou noir.

Il lui reste la lecture, un peu. Dans l'acte de lire, rien ne sépare plus le passé, qui n'est plus, et l'avenir, qui n'est pas encore ; il n'y a que le présent, seul le présent existe, c'est-à-dire rien – et donc le cadet de ses soucis, puisque déjà il se quitte, il devient un autre. Entre rien et rien, rien ou presque ; rien sinon que tout est là, subitement, dans l'encre qui fond sous ses doigts comme de la neige ; rien, sinon l'illusion fugitive que la page est un miroir où il devient celui qu'il a rêvé d'être : *forever young* Mr. Churchill. Rien d'autre.

16.

L'anniversaire

Chartwell, 24 janvier 1965

I gotta roll, can't stand still
Got a flamin' heart, can't get my fill[1] *!*

Black Dog, chanson de Led Zeppelin.

---

1. « Faut que je bouge, j'tiens pas en place/ J'ai le cœur en feu et j'ai toujours la dalle. » (Variante : « J'ai pas ma dose ! »)

C'est fou comme il lui ressemble – ce nez funèbre qu'il avait ! Douze ans plus tôt, Winston avait dit à son secrétaire, Jock Colville, un matin en se rasant : « Aujourd'hui, nous sommes le 24 janvier. C'est le jour où mon père est mort. C'est le jour où je mourrai moi aussi. »

Ce qu'il fit, le 24 janvier 1965.

Dire qu'il n'avait aucun regret, ce serait mentir.

Bibliographie

Ce livre n'est pas une biographie – il y en a mille !
Dans ce récit lacunaire dont Winston est le héros, je
me suis – parfois – inspiré de son biographe le plus
lucide et le plus consciencieux, William Manchester,
et de quelques écrits de Churchill lui-même. Mais
si j'avais tout lu, je n'aurais rien su, et rien écrit ;
je n'aurais pas osé empiéter sur sa légende et marcher dans son rêve. Je n'excuse pas sa violence ni ne
méconnais tous les *coups tordus* qu'on lui prête. Je
ne le défends pas, il est indéfendable ; je l'écoute, je
m'efforce d'entrer dans son âme. Je ne suis pas son
avocat, je suis son scribe.

Churchill, Winston, *My Early Life : a Roving
Commission (1874-1904)*, New York, Touchstone
Paperback, Simon & Schuster 1930, et *Savrola*, Lon-
don, Leo Cooper, 1990.
Manchester, William, *Winston Churchill, The Last
Lion*, en 3 volumes. 1. *Visions of Glory (1874-1932)* ;

2. *The Caged Lion (1932-1940)* ; 3. *Defender of the realm (1940-1965)*, New York, Little, Brown and Co., 1983, 1988 (Abacus) et 2012.

J'ai aussi consulté :

Assouline, Pierre (sous la direction de), *À la recherche de Winston Churchill*, Paris, Perrin, 2011.

Axelrod, Alan, *Winston Churchill, CEO. 25 Lessons for Business Leaders*, New York, Sterling, 2009.

Boris, Hugo, *Trois Grands Fauves,* Paris, Belfond, 2013.

Buczaki, Stefan, *Churchill & Chartwell*, London, Frances Lincoln Ltd, 2007.

Foley, Paul, *« Black Dog » as a metaphor for depression : a brief history*, http://blackdoginstitute. org.au/media/eventscal/index.cfm, January 2005.

Kersaudy, François, *Winston Churchill*, Paris, Tallandier, 2009, et *Le Monde selon Churchill. Sentences, confidences, prophéties, reparties*, Paris, Tallandier, 2011.

Shelden, Michael, *Young Titan. The Making of William Churchill*, New York, Simon & Schuster, 2013.

Remerciements

Je remercie Hervé Bentégeat qui a eu l'idée de ce livre, et mon éditeur Alexandre Wickham qui l'a acceptée. Je remercie ma compagne Leili et ma fille Jeanne pour leur affectueuse vigilance. Sans eux, sans elles, ce livre serait resté une simple préface.

Table

TABLE

DU MÊME AUTEUR

L'Angleterre en poésie, Gallimard, 1982.

La Comédie littéraire, Grasset, 1987.

Éloge de la France immobile, François Bourin, 1992.

Blaise Cendrars, François Bourin/Julliard, 1993.

Aragon, la seule façon d'exister, Grasset, 1997.

New York toujours, Mengès, 2001.

Le Dernier Amour de Monsieur M., roman, Robert Laffont, 2005.

Oscar Wilde ou les cendres de la gloire, Mengès, 2007.

Précaution inutile, Marcel Proust, Le Castor Astral, 2008.

Renoir, roman, Éditions du Huitième Jour, 2008.

La Hache et le Violon. Sur le métier de critique, Éditions François Bourin, 2014.

« Tout est fichu ! »
Les coups de blues du Général
par Christine Clerc

« Et surtout, pas un mot à la Maréchale... »
Pétain et ses femmes
par Hervé Bentégeat

Composition : IGS-CP
Impression : CPI Bussière en décembre 2014
Éditions Albin Michel
22, rue Huyghens, 75014 Paris
www.albin-michel.fr
ISBN : 978-2-226-31259-4
N° d'édition : 20875/01 – N° d'impression : 2012911
Dépôt légal : janvier 2015
Imprimé en France